カラーコピーして
使ってね

Scrap Book

A Joyful Notebook

たのしみノートの
つくりかた

Sayaka Sugiura

杉浦さやか

祥伝社

はじめに

子どものころから、ノートに向かうと
心が落ち着きました。
頭の中で物語をつむぎながら、お人形さんを描く。
目標をしたためる。
悩みをはき出して、整理する。
仕事のアイデアを書きつらねる。
その日あったことを あれこれ思い出しながら書く、
あるいは描く。
今回の本は 私のイラストの根っこの部分、
ノート作りの おはなしです。

切り抜きやチケット、落書きでいっぱいの私のノート。
好きなものを 自由につめこんだ ノートたちを、
本書の中では "たのしみノート" と よぶことにしました。
本を作りながら、これまでの ノートをひっぱり出し、
あらためて自分の手帳人生を ふり返ってみて ——
われながら、あまりの記録魔ぶりに
圧倒されてしまいました。
なにか事を はじめるとき、とにかく
まずは ノートに手を伸ばしてきたんだなぁ……。

私の熱いノートは参考程度に、
みなさんも自分なりの たのしみノート作りに
取りくんでみてくださいね。

本当に、楽しいから!

もくじ

たのしみノート ことはじめ

小学校時代★お絵描き期

ノートに落書きばっかりしていた、低学年のころ。

好きなノートは消しゴムをかけて、もう1回使っていた！

大事にしていた ぬいぐるみの"ミケ"を テーマにした ノートを 作ったり。

出生の秘密話あり、ミケのテスト答案あり……。

がゆえる

100+100=
200+200=
500+200=
700+100=
60+200=
500+300=
200+300=
500+500=
600+400=

95

おし～い、もうちょい!!

スケッチ

はじめての日記帳は"マイメロディ"の。11歳でした。

NOTEBOOK

I love it

このノート、なんでこんなボコボコかというと……

窓のひさしの上を隠し場所にしていたから。しばらく忘れて、雨ざらしにしてしまったの。

……そうまでして隠すような内容スか？

私と姉の部屋の窓にへばりついて……

表紙の聖子ちゃんシールには、「表紙に貼ると、幸運が」との一文。スナオ。

タイトルなど表紙に記載
読のツキを呼びこむぎせり子さん

7/28 7月19日(火)
え～と 今日はお母さんにしかられたしメタメタだった 日の 学校での プールをうじも たのしかったし。プールそうじは 芝おんたちらへんまで 水ぎめいてあった 私の右足うでこんでったりしてみ中に足をきていたので少さくところしたりしてオモシロから帰ってまたまたひっこ

3日に一度、『なかよし』のふろくの占いシールを貼ることに決めていたもよう。

まんが家を目指しはじめた5年生。大学ノートにまんがをいくつか描いて友達に見せていました。

恐怖まんがやラブコメの連載
悩み相談（もちろん捏造）
盛りだくさんのこのノート、行方不明になってしまった……。

SNOOPY

タイトルは「※いもかのスクリブリングノート」。辞書で調べてつけたんだけど……"落書き"という意味なのか！忘れてた。

※小4～高3までのあだ名。由来は昔、姉に「妹でさゆかだから"いもか"」とからかわれていた思い出話から。

8

6年生になると『りぼん』に投稿するべく、原稿を描きはじめる（結局出さずじまい）。

大マジメな12歳

それを読んで腹をよじらす姉と兄

ギャハハハ

18歳

14歳

14歳から26歳までは、日記のほかに年記までつけていました。

保育園のころから持ってたノートに、大晦日に書く

その年のできごと、好きな服、音楽、TV. 読み返すとおもしろい！

現存する最古のスケジュール帳は、中2の時の。

父の会社の手帳にC.C.シスターズのふろくシール。巻末には、当時大ファンだった健さんのプロフィールが…。

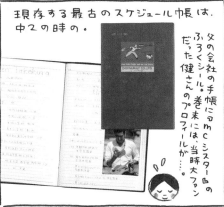

2年生のおわりから、仲よしのかおりと交換絵日記をはじめる。

ウッス

かおり

ノートをお互い用意して、3〜4日書きためたら、交換。

毎日一緒に登下校して、笑いころげていた悪友。

実に中学生らしい、バカ丸出しな内容。授業中によく書いたっけ。

かおりのツッコミ

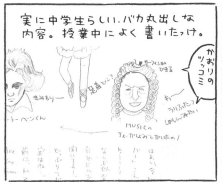

これが今の仕事の原点だと思う。

美大受験予備校でのクロッキー風景（高一）の日記はほぼ10年続きました！

9

修学旅行前に作らされた
ノート。旅ノートの原点。

『宝島』の霜田恵美子さんのイラスト

男前だった
15のころ…。
年下の女の子から
手紙をもらった
ことも。

受験勉強そっちのけで、夢中で
制作にいそしみました。

京都・奈良へ2泊3日の旅

さあ、ここで "好きな人日記"！
中3の後半に好きだった男子の
ことのみをつづったノートが、2冊。

写真スケッチも
あるよ

余談 →

昔から悩みがあると、ノートに考えを
書いて、気持ちの整理をしてきました。

成仏
してくれ

大人になって恋愛に
いきづまっていた時、
思いのたけを
ぶつけたノート。

ステキなNY大学のノートも、
イヤ〜な気うずまく怨念ノートに
なってしまった。

自分への叱咤激励も
好きで、ハタチごろの
手帳に相田みつを氏の
コトバが…！！

「やれなかった
から〜なかった
どっちかな？」

高校 大学時代
イラストレーターへの道 ★

高校生になると おしゃれスクラップを はじめる。

『mcシスター』『オリーブ』『ノンノ』など
から。値段やブランドまでメモってある。

イラスト用の
ポーズ集も

試験前に決まって
作りたくなる
ひなだなあ…

高1の時は学校が楽しくて、スクラップ風の学校日記をつけていた……！ ヒマだなぁ。

クラスと弓道部のこと

2年生のころから、イラストエッセイのようなものをノートに描きはじめる。

やはり友達に見せていた

大学3年のおわりに、はじめての海外旅行、はじめての旅ノート。

その場でガイドブック見りゃいいじゃん、ってことまでこと細かに……

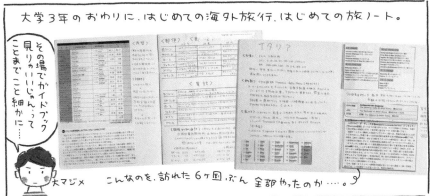

大マジメ　こんなのを、訪れた6ヶ国ぶん全部やったのか……。

予習しないと不安な小心者ゆえに、はじめたことでした。

スタートのロンドンの地下鉄で、お互いの荷物を円陣組んでガード……。

そして…★現在

相変わらず、ノートになにやら書きこむ毎日です。

前日の日記と、その日の仕事を書き出すことから一日がはじまります。

11

Depression Era
Dolls, Blac
212 Ch
ole, TX

eart

1

ぺたぺた日記

ショップカードやタグ、その日集まった紙を
ノートに貼って、コラージュ日記をつけてみませんか。
日記が続かない……という人におすすめです。

ぺたぺた日記をつけよう

社会人になって5〜6年 途絶えがちだった日記が,
その後は ずっとスムーズに続いています。
スケジュール帳の 行動メモと, "ぺたぺた日記"の
二本立てにしてからのこと。
心に ひっかかったことだけを書く 特別日記で,
タグや包み紙,なんでもノートに貼っていきます。
貼ることが メインで,イラストや文はメモ程度の 感覚。
この気楽さが,続いている最大の理由かも。
配置を考え,はさみで切ってのりで貼り,
絵には 水彩や色鉛筆で さっと色をつけてみる。
読み返すのも,にぎやかで 楽しい日記です。

おみやげにもらったチョコレートの包み紙

自分のペースで ✳

表紙にカードを貼る。

美しく、完璧につけようと
思わない。楽しんで
続けることが肝心なので、
無理はしません。
「月光荘」のF2サイズの
クロッキー帳がおすすめ。
いろいろ貼るのにちょうどいい
大きさ。紙も5種あって、
少し厚みのある
"アツ"がお気に入り。

鉛筆の走り書きだって
よいのです。

なんでも宝物 ✳

町を歩けばいろいろなものに
目がいくようになります。
きれいなショップカードは絶対
欲しいし、記念スタンプはすかさず
ペたり。紙きれも立派な素材です。

パーティーのさし入れにさくらんぼを。
ジャケ買いしたラベルは私のもとへ♡

その日のうちに ✳

「時間ができたらまとめてやろう」
というのは、なかなかむずかしいこと。
その日のうちか翌朝に、収集物だけでも
貼ってしまおう。

つかれた〜

色をぬろう ✳

固形絵の具パレットは
扱いやすい(→P29)。

読み返したくなるのは、
断然色つき日記。
水彩絵の具は手軽で
華やかになる。

こんなことを描いてます

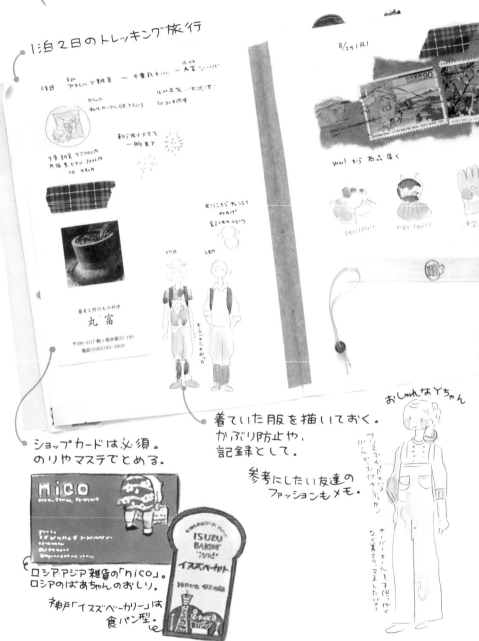

切手好きなもので、
届いた手紙の
切手も捨てられない。
同様に袋に貼られていた
マスキングテープも
巻末に集めて貼っていて、
なかなか壮観。

前のページ

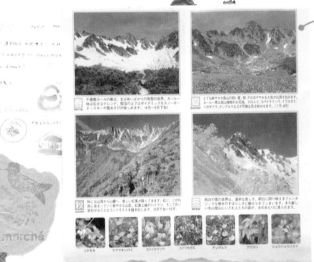

パンフを
貼り込む。

袋を部分的に切って貼る。

Hちゃんから、年始にもらった手作りおかき。
未年のランチョン
マットで作った袋。

星のシールがきいてる

あれこれ描く日も、印象的な
ことをひとつだけ描く日も。

17

日記 ちらり 公開

白いノートは、本を作るときにサイズを確かめるために作る"束見本"(中はまっ白)。

落ち葉も貼っちゃう。DMやカードなど裏を見たいものは、マスキングテープやホチキスでとめる。色使いも楽しく。

5

展示のDMを貼って、まわりに少し絵を描くパターンが多い。

「月光荘」クロッキー帳 (P15) はフライヤーも貼れるよ。

とりあえず貼るだけ！で
おわってしまう日もよくあります。

一番気合いを入れて描いていた
30代半ばの日記。2週間やひと月
あくこともあったけど、じっくり楽しんでいたころ。

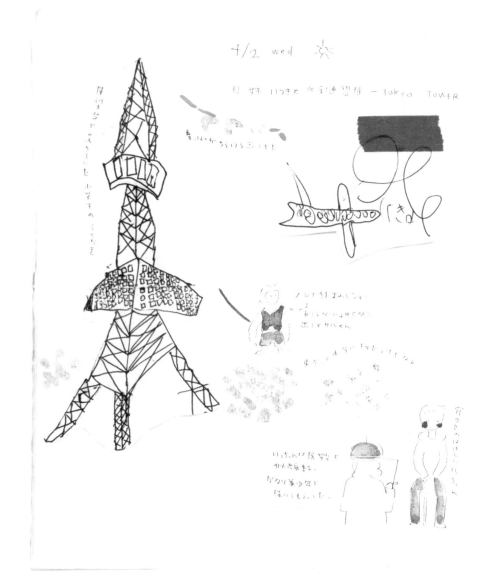

← 拾った落書きを貼っていますが、今も娘からの
手紙や小さな落書きは、自分の日記に貼っちゃう。

母・姉と鎌倉さんぽ

母と歩くと花の名前がおぼえられる

ミモザ

ボケの花

3/19 (水) ☁ ☂

KAMAKURA

母・姉と3人で鎌倉さんぽ。

沖縄旅行が流れたかわりに、鎌倉へ。

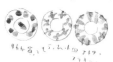

くろもりがすんごいおいしい！！
つるつるでやわらくて、
最高の口どおり〜♡

キラを見つけたから
作るところも、
お皿もステキに
いろんなもの
売っているまち。

ふたつのもかいこて、
おりょうりも楽かいいー♡

みのわ

MOYAI KOGEI

丸い紙は、長谷「ベルグフェルド」の
シュークリーム がくるまれていた。

鎌倉　松原庵

Bergfeld
Bergfeld

毎年かごが増えてゆく

ぺたぺた日記 その2
お買い物日記

お買い物、大好きです。
ぺたぺた日記でも 一番多いネタ。
見直してみると、反省点がたくさん見つかります。
「安さ」に惹かれてつい買ってしまった服。
プチプラショッピングは 趣味のようなものだけど、
衝動買いした中には 長く愛せなかったものも。
失敗の記録が赤裸々に残っているので、
だいぶセーブできるようになりました。
最近増えたのは、ネットショッピングの失敗。
以前は試着なしに買うことはなかったけれど、
服が届いてみたら 似合わなかった ……
ということが 時々おこってしまう。
特にセール時期は 勢いでポチッとしてしまいがち。
そんな ファッション関係の買い物は、
ぺたぺた日記に ひと月ぶん、
まとめて記録していきます。
その月 買ったものが ひと目で わかるので
おこづかい帳代わりになるし、
ブレーキ役にもなってくれる。
日記で 傾向と対策を 立てつつ、
これからも 楽しんでいきたいな。

ほしいものを見つけたら、できる
限り着画を探してじっくり検討。
外国人モデルは特に慎重に！
右ページのスカート、5cm裾あげしました。

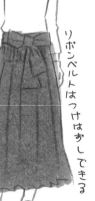

リボンベルトはつけはずしできる

✳ 通販サイト「ナチュラン」の SALE ✳

「rina」8.085円
（50％off）
8.800円

当方、ブラウス好き。

「ADIEU TRISTESSE」

The Sale Season
1月の
お買い物

✳ フリマアプリ ✳

ライナー付きで長く着られる

探していたステンカラーコート。やわらかな素材と長い丈で理想通り。「IEDIT」15.000円

つけネ禁
「Lintu Laulu」
3.465円（30％off）

はやりものはセールでチャレンジ！

5.148円
（40％off）「artipur」

夏のごろの近所着として

✳「ZOZO TOWN」セール ✳
「Nésessaire」のリネンスカート 11.880円（70％off）

買い出しついでに地元の
✳ 駅ビルのセール ✳

セールのついでに見つけ、翌月買った靴。16.500円
「ACHILLES SORBO」

1.990円

カットソー
390円

ラムウール カーディガン。メンズのS

「GALLARDAGALANTE」
春色カーディガン 5.500円

「ユニクロ」で室内着調達。

25

私の買い物日記

ひと月のファッション関連の買い物を、ひとまとめにメモ。

手づくり市で
見つけたピアス

I ♡
shimamura

「しまむら」パトロールは
変わらずに 好きですよ！

カゴショルダーを見つけたときは興奮。
…四角と悩んで、
かまぼこ型に。

子ども服も時々
すごくかわいいのが！

流行の
アイテムは
プチプラで。

娘の服も
買いすぎ
注意……！

・330円
300円ショップ

1,485円
(SALE)

1,605円

プチプラ子ども服
「Pairmanon」

「ファッション
センター
しまむら」

・979円

こまごまたくさん買ったら、写真に撮って プリントアウトしても。

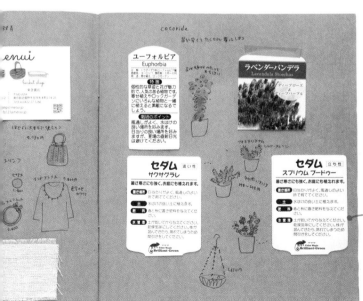

植物の苗も
よく買うので、
名前や世話の
ポイントを
忘れないよう、
札を貼っておく。

下を
カットして

お買い物日記を書いてみよう

リペア用の布で
コラージュ。
とっといても使った
ためしがないし…。

袋に貼られたシールや、
マークの部分だけ
切り取って貼る。

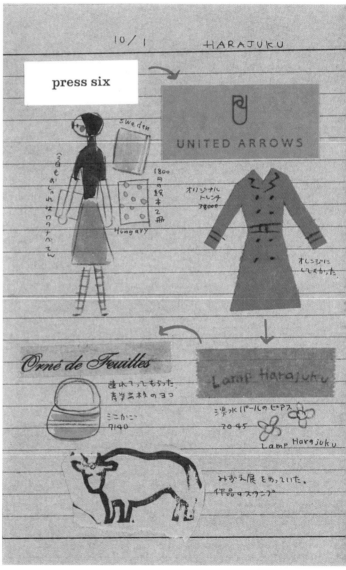

10/1　　HARAJUKU

press six

Sweden

1800円の
絵本 2冊

Hungary

〈自分おじゃれなカタチべた〉

UNITED ARROWS

オリジナル
トレンチ
38000

オレンジにすべきだった

Orné de Feuilles

遊びに行ってもらった
青山青枝のヨコ

ミニカゴ
7140

Lamp Harajuku

淡水パールのピアス
7045

Lamp Harajuku

みうえ展をやっていた。
作品のスタンプ。

＊ お店は2005年当時のものです。

28

愛用の固形水彩は
「サクラクレパス」の
"Petit Color" 12色 (P15)。
コンパクトで携帯しやすく、
絵の具の補充もできる。

11.5cm

8.5cm

筆は学生時代からの愛用品。

線は色鉛筆

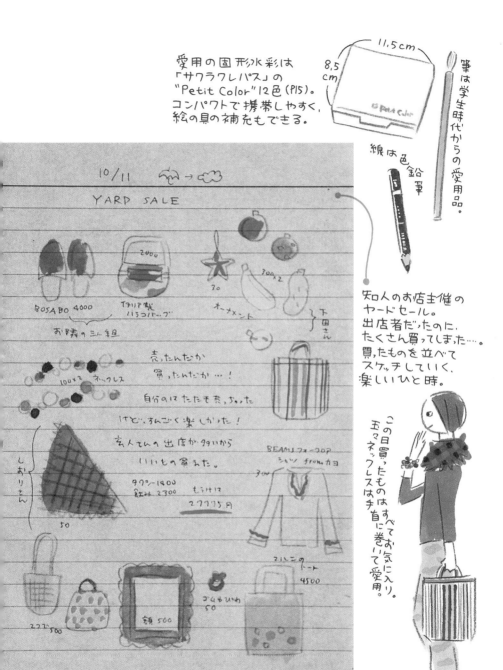

10/11 ☂→☁

YARD SALE

BOSABO 4000

お隣のミシ組

2000

イタリア製
ハコつぶパープ

70

オーナメント

700×2

下田さん

100×2 ネックレス

売ったんだか
買ったんだか…！

自分のはたたも売っちゃった

けど、すんごく楽しかった！

玄人さんの出店が多いから
いいもの買えた。

しおりさん

タクシー1800
紅茶 2300 もうけは
   27995円

50

BEAMSフォーコーア
シャツ from カヨ
300

ココ
500

額 500

ゴムちびん
50

マルニのトート
4500

知人のお店主催の
ヤードセール。
出店者だったのに、
たくさん買ってしまった……。
買ったものを並べて
スケッチしていく、
楽しいひと時。

この日買ったものはすべてお気に入り。
玉々ネックレスは手首に巻いて愛用。

＜ ぺたぺた日記 その3
おでかけした日は

中学時代にお気に入りだった.
"夏休みの絵日記"スタイル。
上に思いつくままに絵を描き,
下にはその補足の文章を。
書きたいことがたくさんのおでかけ日記には,
これがぴったりきます。

今日は富士山は
見えないね

夜にも入りたい…

女4人で山梨県の「ほったらかし温泉」へ。
甲府盆地と空と山々,パノラマが一望できる。
最高に景色のよい温泉!

さえぎるものがなにも
ないから,すごい日ざし!
みんなですげ笠を
かぶって入浴するのが
おかしかった。

・・・・・

チケットやはし袋なども貼る

小旅行、展覧会、イベント。
おでかけした日は
記念品をぺたぺた貼って、
楽しかった1日を記録しましょう。

温泉への道には、ぶどう畑が広がっています。
街灯も、ぶどうやさくらんぼ…。
友人の愛車(私と同い歳!)で、快調にドライブ。

ワイン農園で試飲したあと、芝生でごろごろ。

あ〜いい気持ち…!

お昼は昇仙峡で渓流を
見おろしながら、そばを食べました。

おでかけ日記のヒント

◀ 収集物を気ままに貼って、
コラージュ日記。

SAYA　　KaYO

かよちゃんらしい かわいいワンピース

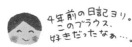

着ていた服を描いておくと、▶
後で見返すのが 楽しい。
とてもいい思い出になる。

4年前の日記ヨリ。
このブラウス、
好きだったなぁ…。

▼ その日のスケジュールに沿って
順々に描くのも 楽しい。

AM9:00 出発

ショク定食

10:00 ─

早稲田通り「Dennys」で朝食

12:00 伊香保着

地ビールレストランで
3種のおためしセット

水沢うどん「大澤屋」

まいたけの
天プラ、でか！
2人で1コで
よかった…。

巻いて、草津へ

17:30「奈良屋」着

お風呂最高！草津の
湯に!!!! じんわりやさしい。

夕食後ちょっと眠って、お散歩。─

▼ 絵日記帳を おめかしさせましょう

表紙をくるんで、
かわいいノートにしよう。

好きな絵本とか、
濃い色のほうが透けない！

お気に入りの布地や絵などを
A3サイズに カラーコピーします。

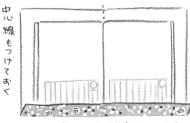

中心線もつけておく

ノートに 沿って 折り線をつける。

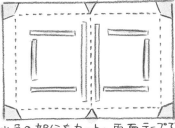

水色の部分をカット。両面テープで、
補強して、スプレーのりをふきつける。

ノートを慎重に置き、貼り合わせる。

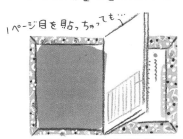

1ページ目を貼っちゃっても…

見返しに紙を貼る。

なに描こうかな…

背にテープを貼れば完成！
（貼らなくても よい）

33

ぺたぺた日記 その4
おいしい日記

父の大学時代の日記には、必ず最後に
その日食べたものが記されています。
はじめて見せてもらった小学生のころ、
「いじきたなーい」と笑ってからかうと、父は
「『漱石日記』の影響で書いていたんだぞ」
と 胸をはって言いました。

「朝食は昨日のライスカレー少々、牛乳。
　昼はカキフライ三〇円也、丼メシ。カキフライについていた
　マカロニが腐っていたのには カーッときた。
　夜は好物のクヂ(ら)カツ フンダンにと キャベツ、メシ一、五ハイ。」

今読んでも おかしいけど 実に興味深く、
本文以上に 生々しく、当時の父の生活が見えてきます。
きっと本人はもっと そう感じるんじゃないかな。
よい日記だな、と思います。

　　　　食事とおやつは、毎日欠かせない
　　　　大切な時間。
　　　　おいしかった あのケーキ。
　　　　その日作ったおかず。
自分のくらしの基礎の基礎を記す日記。
ちょこちょこ 続けていきたいな。

　　　腹ぺこで青山「ピエール・エルメ・パリ」を
　　　通りかかり、シトロン味のマカロンを
　　　ひとつ。シャクシャク じゅわーっと、
　　　　　レモンの甘酸っぱさが
　　　　口いっぱいに広がって……
　　　　小さいけど大満足な一品!

ミニノートの表紙には
クッキーの切り抜きを。

PLATINO
CHEESE CAFE

かんちゃんちにて

ガーゼに包まれた
ふわふわチーズケーキ。
おいしい!!

ガーゼをつめそうなイキオイで食べる…

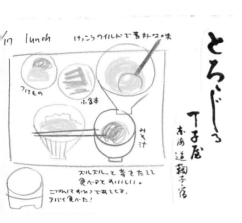

'17 lunch   けっこうワイルドで素朴な味

つけもの
小ばち
みそ汁

とろろじる
丁子屋
東海道鞠子宿

ズルズルーと香りをたてて
食べるとおいしい。
ごはんにおかわりして出来てるので、
いっぱい食べた!

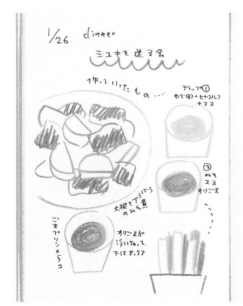

1/26 dinner

ミユキを送る会

作っていったもの…

ディップ①
ゆで卵+ピックルス
+マヨ

②
みそ
マヨ
すりごま

大根でブラブラ
のみそ煮

ごまプリン×5コ

すりごまが
汚いけど、
下にしずむ。

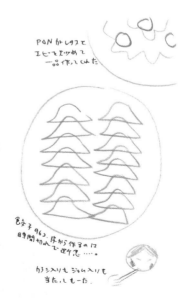

PONかレタスで
エビをどつめて
一品作ってみた

餃子96コ、皮から作るのは
時間切れで断念……。

からし入りもジャム入りも
当たりもーた。

ぺたぺた日記 その5
気軽に フォト日記

7月19日

暑い暑い一日。つなと歩く。
錦市場 ─ 鷹 (お昼) ─ イノダコーヒー
─ スマートニワ ─ 三丘園でお茶 ─
高島屋B1F ─ 嘉木 ─ かのこ
イノダコーヒー 近くの洋館に
咲いていた ばら。

絵が苦手なら、写真日記がおすすめ。
スマートフォンで撮った写真の中から
その日の一枚を厳選して、
小さめのノートに貼ってゆくだけ。
その際、シールや切り抜きで
写真を飾りつけてみましょう。
絵本や作品を作るつもりで、楽しんで!
なんでもない日常の風景が
光軍いて見えるはず。

かわいい前菜をパチリ

お店で料理を撮るときは、音の配慮も。
iPhoneなら "LIVE photos" に設定すれば、音が気にならない。

✿余分な背景は切り取っちゃう。

このコは友達んちのシビちゃん

私があげた上海みやげ

✿人にあげたりもらったりした
ものは、よく撮っておきます。

✿色紙で額ぶちみたいにポイントをつけたり。

水族館のくらげたち…

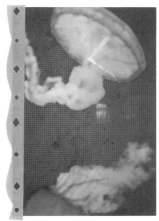

バンビは雑誌の切り抜き

✿花をいけたところも
うれしくて
撮りたくなります。

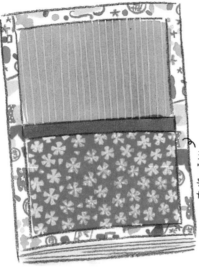

ぺたぺた日記 その6
ラベル自慢

三越のクリスマス
包装紙と和紙で、
表紙を
カスタムメイド！

骨董市でたまに、お手製スクラップ帳を見かけます。
中原淳一の挿し絵集だったり、新聞の切り抜き集だったり。
私が見つけたのは、ラベルのスクラップ帳。
前半はデパートやお店のシール、後半はマッチラベル。
間には山の歌の詞なんかが書きこまれている。
これがまあ、大層きれいに几帳面に貼ってあって、
「どんな人だったのかな？」と想像がふくらみます。
字や嗜好から見ると女学生ふうだけど、
よくデパートやカフェに行ってるから、当時20代前半……
今は80代くらいの人じゃないかなぁ。

これに感動して、ラベルだけのノートを作ろうとしたけど
やはりちょこちょこと書きこみたくなって、
こんなに潔くはできないのでした。

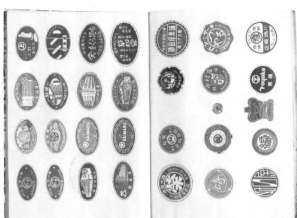

代本に貼られたシールを丁寧にはがしたのでしょう。

お店は浜松と東京が多い。ナゾ。

ストロー・コレクション

ぺたぺた日記で唯一、これしか貼らない, と
決めている ページが あって、
それが この ストロー袋 の ページ。

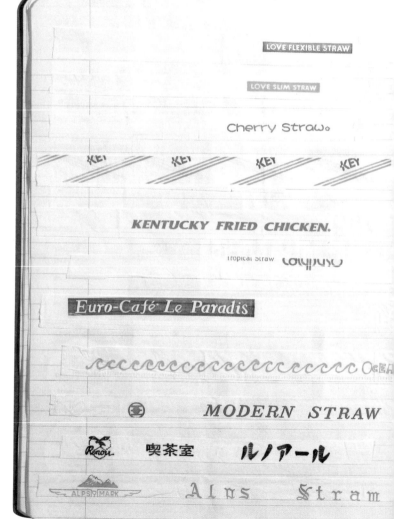

LOVE FLEXIBLE STRAW

LOVE SLIM STRAW

Cherry Straw。

KEY　　KEY　　KEY　　KEY

KENTUCKY FRIED CHICKEN.

tropical straw　Lollipop

Euro-Café Le Paradis

OCEA

MODERN STRAW

Renoir　喫茶室　ルノアール

ALPS MARK　Alps Stram

知り合いの編集さんをまねて 集めはじめた
ものなんだけど、柄やロゴがバラエティに富んでいて、
なかなか 集めがいがあるのです。

OCEAN STRAW

SWEET Straw

談話室　　　　滝沢

stone

TEL　HILLTOP　HOTEL　HILLTOP　HOTEL

Flexible straw

喫茶室　　ルノアール

mont blanc

つばめグリル

ASAHI STRAW

洋菓子の店　ボ　ア　　　吉祥寺店・吉祥寺南口駅前　TEL (0422) 44-51
中 野 店・中野北口駅前　TEL (03) 3389-41

stone

ネームラベルを作ろう

"ペラ紙印刷"でＡ6サイズ、ゆう半紙。

上から蛍光ピンク、青、赤の版。黒ペンで描いた
ものをコピー、汚れを修正液で消して印刷店へ。

使いかたはアイデア次第！

自分専用のラベルを作ると、なにかと便利。ノートの表紙、手紙のあて名、プレゼ
ントのカード、ひと言箋と使い道はたくさん。私は普段から鳥の絵をよく描くので、
小鳥をモチーフにしました。印刷屋さん「レトロ印刷JAM」は味わいのある印刷で、
小ロットでも安価、私のようなアナログ派にも対応してもらえます。ハガキサイズ
におさまるようにデザインを考え、色別に版を描く、それをコピーして、サイトか
らプリントアウトした発注書を添えて送るだけ。2〜3色におさえるとうまくまと
まります。あなたもオリジナルのラベル、作ってみませんか？
レトロ印刷JAM　jam-p.com

2
必要なものあれこれ

たのしみノートを作るのに、必要な道具と素材。
わざわざ用意するものは ちょっぴりで、
身のまわりのものを上手に 工夫して使おう。

ノート大好き

必要なものあれこれ その1

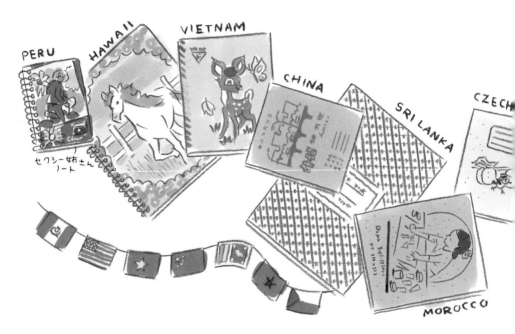

PERU
HAWAII
VIETNAM
CHINA
SRI LANKA
CZECH
MOROCCO

セクシー姉さん
ノート

うちには あちこちの国からやってきた ノートが
ストックして あります。
自分で買ってきたものだったり、友達のおみやげだったり。

　旅先で使うノートなら、表紙がコート紙の 丈夫なものを。
　好きなもの スクラップには とっておきのハードカバーを。
　食べもの日記は いつでも書けるように、メモ帳がいいな。

何冊か ノートを 広げて、スクラップの内容から
あれこれ思いを めぐらせるのが とても楽しいのです。
さて、ぴったりのものを 選びだしたら、
たのしみ ノート作りの はじまり はじまりー 。

大きい切り抜きとは見開きにバーンと貼る。

スクラップも専用ファイルを用意したりせず、普通の大学ノートに気楽に貼っていきます。

ベトナムの。

「Rollbahn」の最小サイズ。「SIERRA」の"木軸ボールペンSサイズ"がピッタリ収まる。

電車の中で考え事をしたり、取材の時に活躍するのが手のひらサイズのミニノート。

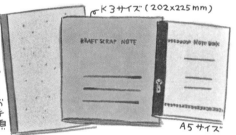

K3サイズ (202×225mm)

B5サイズ 90円とお手頃。

A5サイズ

無地ノートいろいろ。左から「無印良品」、クラフト紙の「石原紙工」スクラップノート(P27)、サイズ豊富でおしゃれな「ツバメノート」。

美しい布ばりミニノートには、シールやカチ、大切なコレクションを。神保町「美篶堂(みすずどう)」のもの。

ハガキサイズの木炭用紙ブック

クリーム色の紙のクロッキー帳

クリスチャン・カードを貼りました

画材売り場で探すのもおすすめ。クラシックなデザインのスケッチブックや、さまざまな紙質のユニークなノートが見つかります。

手作りノート

大切に残したい、とっておきの
スクラップ帳や日記なら、
ノートも手作りしてみませんか?

じゃばらノート

紙を山折り、谷折りに交互に折って、
どんどんつなげて台紙に貼るだけ。
紙の厚さ、質感、色などで表情が
変わります。

チェコの包装紙

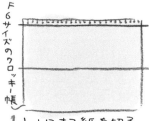

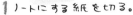

1 ノートにする紙を切る。

F6サイズのクロッキー帳

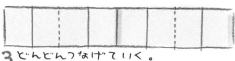

のりしろ

―――― 谷折り
------ 山折り

2 のりしろを残して4等分に折る。

3 どんどんつなげていく。

スプレーのり＋水のりで補強。

Cut!

ボール紙など

4 厚紙を紙でくるんだ
表紙を2つ用意。

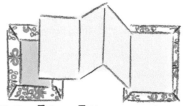

5 3の最初と最後のページを4のそれぞれ
に貼る。好みでさらに色紙を貼っても。

6 できあがり! 切りこみを入れて、アルバム帳にしてみました。

表紙は段ボールを
そのまま使用

リングノート

紙束にパンチ穴をあけ、
リングをつけてノートに。
私は普通のノートじゃなくて、
紙のスクラップ帳を作りました。
捨てられない紙がどっさりあるから…!

10年前のカレンダー

昔 部屋に貼ってた広告

2枚を貼り合わせる

甥っ子のくれた絵

包装紙の切れはし

香港のおふだ

展覧会のチラシ

同じサイズにカットした紙を
何枚ずつか束ねてクリップで
とめ、パンチ穴をあける。

古い雑誌の切り抜きと、昔の折り紙

用意する道具

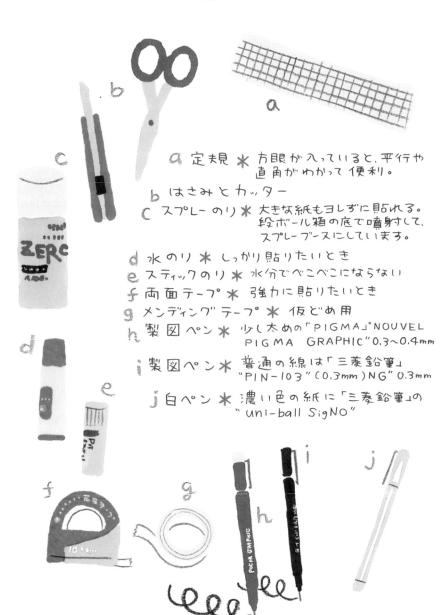

a 定規 ＊ 方眼が入っていると、平行や
　　　　　直角がわかって便利。

b はさみとカッター

c スプレーのり ＊ 大きな紙もヨレずに貼れる。
　　　　　　　　　段ボール箱の底で噴射して、
　　　　　　　　　スプレーブースにしています。

d 水のり ＊ しっかり貼りたいとき

e スティックのり ＊ 水分でべこべこにならない

f 両面テープ ＊ 強力に貼りたいとき

g メンディングテープ ＊ 仮どめ用

h 製図ペン ＊ 少し太めの「PIGMA」"NOUVEL
　　　　　　　PIGMA GRAPHIC" 0.3〜0.4mm

i 製図ペン ＊ 普通の線は「三菱鉛筆」
　　　　　　　"PIN-103"(0.3mm)NG" 0.3mm

j 白ペン ＊ 濃い色の紙に「三菱鉛筆」の
　　　　　　"uni-ball SigNO"

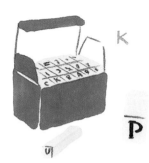

K

L

$\overline{P}$

버

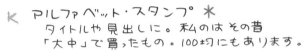

M

N

トーナルカラー

93色

K アルファベット・スタンプ ＊
　　タイトルや見出しに。私のはその昔
　　「大中」で買ったもの。100均にもあります。

L インデックスシール ＊
　　ハワイで購入。100均のも色柄豊富。

M コーナーシール ＊ 貼りつけたくないカードなどは
　　　　　　　　　　写真用コーナーシールを。

N 色紙 ＊ コラージュやアクセントに。

O 穴あけパンチ ＊ ひとつ穴はこまゆりがきく。

P ペン ＊ 懐かしの "マジック ラッションペン"

Q 色鉛筆 ＊ 手軽で裏うつりしないから、
　　　　　　どんなノートにもOK。

あとは紙きれ、リボン...家にある
限られたものの中から アイデアをひねるのも、
たのしみノート作りの醍醐味です。

FABER CASTEL

Q

P

O

素材を集めよう

おでかけしたら、手に入れたものは
なんでも とっておこう。
日記や手帳に貼ったり、
ラッピングや手紙に使ったり、
アイデア次第で活用法は いろいろ。

放先で…

SUGAR

COASTER

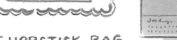

＊

TICKET

＊ 「神戸屋」のって、かわいいんです！

おみやげのタグにしても いいな

チェコのバス券

パリのメトロ

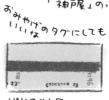

FALLEN
LEAVES

チェコの
プラタナス

CHOPSTICK BAG

正月に母が毎年手描きしてくれるはし袋＼

＞上野動物園 ＊

NEWS PAPER

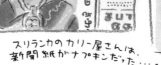

スリランカのカリー屋さんは、
新聞紙がナプキンだった…。

＊現在はデザインが変わっています。

SHOP CARD

国立駅近くのたばこ店※

ハワイの日本料理店

TEA BAG

LABEL

果物シールのほかに、時々すごく野菜のラベルにもかわいいのがある。

4つのティーバッグの中に
本物はひとつ。あとは
お手紙入り……というステキな
お便りを もらったことが
あります。

スコットランドのセーター

上海で買った下着

TAG

PACKAGE

オーストリアの
ヨーグルト

上海のホテルの
石けん

NAPKIN

上野の「精養軒」

ロシアの
キャラメル

51

素材のストック ファイル

❀ コラージュ用 ファイル

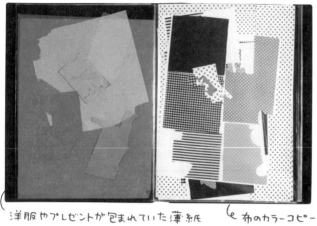

クラフト紙

洋服やプレゼントが包まれていた薄紙

布のカラーコピー

服の柄の切り抜き

素材になりそうなものは
小さな紙の切れはしでも
捨てずにとっておきます。
このファイルと色紙で作ったのが
P54.55のイラスト・

千代紙

包装紙

❀ 包装紙 ファイル

左は骨董市で買った
もの.右はお菓子の
包み紙。
表紙やプレゼントなど.
とっておきのものに
使います。

紙や箱欲しさに
お取り寄せすることも

❀こまもの ファイル

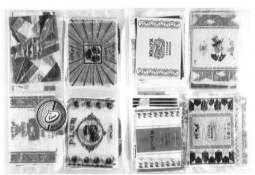

田園調布「ローザー洋菓子店」のチョコの包み紙

紙ナプキンいろいろ。一番左上はいただきもの。

朝ごはんや機内のジャム、はちみつのフタ。

「無印良品」の
"ハガキホルダー
A4サイズ・80ポケット"と
"カードホルダー
A4サイズ・100ポケット"に
整理しています。

朝ごはんのあと、ジャムなどの
ラベルをナプキンにそっと包む。

部屋で洗って、ファイルに
はさんで持ち帰ります。

素材を使って遊ぼう！

千代紙

集まった紙を使って、貼り絵を作ろう。
水玉や花柄の布のコピーや切り抜き、包装紙、
薄紙、外国の新聞が大変身。
単純な柄や形のほうが かわいく見えて
おさまりも いいみたい。
ノートや手紙のアクセントに、
さりげなく飾りたい。

包装紙

表記のないものは折り紙

包装紙

樅の気持の形です
いろんな柄があっておススメ。

古本のページ

lecture

lecture

雑誌の切り抜き

レースペーパー

布のカラーコピー

雑誌の切り抜き

レースペーパー

薄紙

英字新聞

和紙

のし

器の緩衝材

封筒

コピー用紙

封筒の裏

クラフト紙の封筒

チョコレートの包み紙

包装紙

便せんのコピー

布のカラーコピー

羽き扇

包装紙

ポケット いろいろ

左右と下をとめた ベーシックタイプ。

右と下だけ。出し入れしやすい。

封筒のフタを切って、上下左右とめる。

アメリカのスーパーの DPE袋

文具店で売っている市販のものも。

セロハン袋の上下左右を貼る。

スケジュール帳、旅ノート、持ち歩き用のノートを作るときにたいていつける、お手製ポケット。写真や展覧会の案内、レシート、ちょっとしたものをはさむのにとても重宝します。作り方は、ポケットにする紙の2辺か3辺を両面テープでとめるだけ。梱包紙、絵本のページのカラーコピー、好きな雑誌のページ、紙選びで遊ぶと楽しい。紙が薄すぎたり厚すぎるとものを入れにくいので、ご注意を。

3
スクラップノート

雑誌から とっておきたい記事を切りとって、
自分だけの情報ノートや 好きなものノートを作ろう。

スクラップノート その1
スクラップのススメ

「ファッションノート」より壁の柄

中学生のころからの趣味である、スクラップノート作り。
雑誌がたまると 必要な記事だけ 切り抜いて、
項目別にノートに貼ってゆきます。
作っていたのは ファッション、雑貨、買い物マップなど。
おしゃれの参考にもしていたけど、
それより スクラップをする作業 そのものが
楽しくて、仕方がなかった。
今見ると そのころの自分の憧れがぎゅっと 詰まっていて、
とても 懐かしい。

同じく洋服の柄

今は資料として作っていて、ポーズ、子ども、好きな絵……
その種類は15項目以上にも及びます。
やっぱり作るのが楽しくて、時間を忘れて没頭してしまう。
アイデアに行き詰まった時にノートをパラパラめくると
イメージが広がったり、思いがけない案が浮かんできたり。
実際、かなり役立っています。
私は便宜上 細かく分類してるけど、
好きなものをランダムに貼ってゆくのも いいと思う。
どこを開いても 好きなものだらけのノートなんて、
自分にとっては最高の絵本になるんじゃないかな。

切り抜きを集めて

例えば「ファッション」ノートなら、"50S"、"ブリティッシュ"など
さらに仲間同士に ざっくり分類して まとめていきます。

"フォークロア" のページ。雑誌の切り抜きと ポストカード。

さらのノートじゃなく、一度 使い切ったものの
上に貼って 再利用したりもします。

ポットばっかり、寝転んでいるポーズばっかり、花ばっかりなどなど……

ページごと とっておきたいもの

グラビア写真やインテリア、クッキング。ページ全体を
見たい記事は、クリアファイルに入れて ストック。

"おやつ・朝食" のファイル。関連記事やメモも はさんでいく。

レシピは ファイルに入ってると
濡れても 大丈夫だから、
とても便利です。

好きなもの スクラップ

ルールは なし！ で なんでも どんどん 貼ってくと…
こうなります。

私は キラキラで、ちょっ と バッド・テイストな もの が 好きみたい。

✄ スクラップノート その2
おしゃれノート

こういうのが
理想

資料とは別に、
自分用のファッションノートも
「夏」と「冬」の2冊作っています。
好きな格好や
参考にしたい着こなしの
切り抜きを貼った、
言うなれば私の
「おしゃれノート」です。

なんか
でカシイ…

パリジェンヌのスナップが多いかな。
気張らない、さりげない格好が
好きだから。

ずっと前のノートを見ても
色あせてないものが多く、
さすがだなぁ…。

こんなんて'84年くらいの
切り抜き

マフラーやストールの

巻きかた
いろいろ。

アーミーパンツやキルトスカート、
自分が持っているアイテムを
「へえ、こんな風に
組み合わせるのか」なんて
感心しながら
ペタペタ集めて、お勉強。

昔の雑誌『オリーブ』や
『mcシスター』の
『DO！FAMILY』の
ページは、今でも
好き。

子どもや男の子の
ファッションも、
参考になりそうなら
貼っちゃう。

スクラップノート その3

手作りのヒント

レース＋ビーズの
ブレスレット

手作りの記事以外にも
それ風の雑貨やリメイクの服、
イメージが広がりそうな切り抜きを集めています。
私のアイデアの源！

◆ 中・高生のころのノート ◆

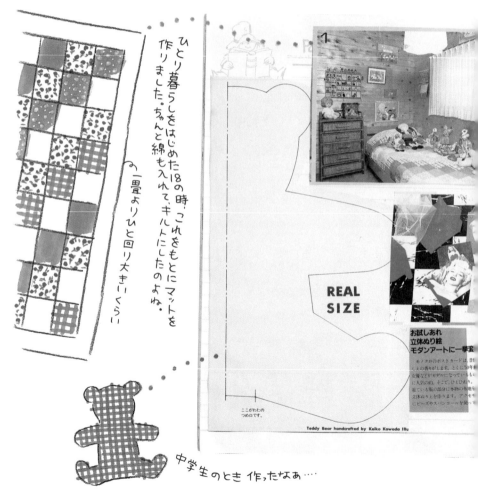

ひとり暮らしをはじめた18の時、これをもとにマットを作りました。ちゃんと綿も入れて、キルトにしたのよね。

一畳よりひと回り大きいくらい

1

REAL
SIZE

ここがわたの
つめのです。

Teddy Bear handcrafted by Keiko Kawada Illu

お試しあれ
立体ぬり絵
モダンアートに一挙変

モノクロのポストカードは、舌し
しさの香りがヒます。とくに外国
女優などがモダンになっているもの
に人気の品し。そこで、ひとひねり。
着ている服の部分に本物の布地を
立体ぬりえを作ります。アクセント
にビーズやスパンコールを使か……

中学生のとき作ったなあ……

66

洋菓子店の四角いお菓子。薄紙に包んでねじったけで、しゃれてる。

パッケージやラッピングは大好きなので、かなりの切り抜き量。お店の素敵なラッピングは撮っておいて、写真を貼ったりも。

インテリア雑誌のある部屋に飾ってあった子どもの作る紙皿くん。の作るものはすごいヨ。

"Surf"…サーフィン。サンタさんみたい。

◆ パッケージ の ページ ◆

子ども関連の手作り情報は一冊にまとめて。

ボタン

スチロールトレイ＋空き箱のガス台

使っていないスカーフで作りたいバッグ。

こんなの作ってみました

"作った" というより 簡単な
"気分転換・リメイク" といったところ。

◆ 窓つきパッケージ ◆

トランクスのパッケージをヒントに、ハンカチを包む。
貼り絵も おりまぜて 楽しく!
カード型にして 中にメッセージを書きました。

◆ マッチ箱 ボックス ◆

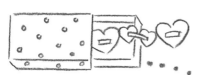

マッチ箱から作られたオブジェ。
私は 紙でくるんで、小さな
プレゼントボックスに。

どんな紙が
合うかな…?

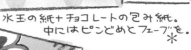

水玉の紙+チョコレートの包み紙。
中にはピンどめとフェーブを。※

ちりめんの根付けにあわせて
千代紙でくるみ、別の千代紙の
柄を上から貼って、アクセントに。

68　　　※フランスのお祝い"公現祭"のケーキにしのばせる、陶器の人形。

◆ かご & 中帽子 ◆

パイピングがあしらわれた
キッズのかご。
一見シンプルすぎる
かごショルダーに
縫いつけてみました。

バイヤステープを使えば、始末せずに
すんで楽。海の家で急きょ買った
チープな麦わらにもつけたら、大変身。

ひも も 変えたよ

子ども服のリメイク
アイデアのもと

◆ アップリケ ◆

モチーフの参考にして
無地の服に、ポイントを。

フリマアプリで見かけた
古着の画像をプリントアウトしてストック。

「NUNO PECO」

◆ ポケット ◆

安い服はついて
なかったりする。

大きくドーンと

おもしろい形　　ポンポンテープをぐるり

洗濯OKの布製テープで
作れば簡単!

穴ふさぎもかわいく。

69

スクラップノート その4
お散歩案内

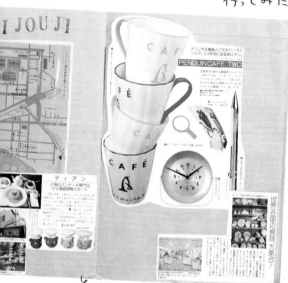

お気に入りの街の情報や
行ってみたいお店の記事を貼った
自分だけのガイドノート。
熱心に作っていたのは
なかなか行けない
「憧れ」のお店が
多かった中高生のころ。

雑誌や地図を
街の中で開くなんて、
自意識過剰盛りの
私には耐えられない
行為だったので…
このノートをチェックしつつ
歩いたものです。

高校のころのガイドノート。
もうなくなってしまった店もたくさん。

年齢を重ねて図太くなり、
おしゃれタウンで地図を
開くことも平気になったけど
（まだ若干抵抗あり…）。

やりませんでした？ コレ。

コソコソ…

地図はすっかり
スマートフォンだよりに
なったけど、
街ガイドのスクラップは
まだ続けています。
取材のように 一日
歩くときは、ノートで
まとめて見られるのが
やはり便利。

東京散歩の本の取材オノート。A5ぐらいの
小ぶりサイズが、バッグから出し入れしやすい。

雑誌の記事や街で
手に入れたマップなどは、
クリアホルダーに
どんどん入れていきます。

街ごとに分けて入れる

お散歩する前に ノートやホルダーを
パラパラ見て、気になる場所には
スマートフォンのマップアプリに
ピンを立ててゆく。
アナログとデジタル、うまく使って
楽しんでいきたい。

スクラップノート その5

シネマ・メモ

Gainsbourg & Birkin

好きな映画や観たい映画の
記事を集めた ノート。
資料に使うのはもちろん、
DVDで観た作品の
パンフレット代わりにも なります。
タイトル順に
「アカ」「サタナ」「ハマヤラワ」の
3冊と、女優や監督などの
人物ノートが 1冊。

私が好きなのは
普段のおしゃれや、生活を
垣間見ることのできる
プライベート写真。
雑誌で見つけたら
必ず切り抜きます。

若いころのジェーン・バーキンは、いつもバスケット。

B.B

ローレン・バコール
姉さん、
カッコイイ〜。

並ぶと顔が
倍くらいに見えるよ、
ボギー。

'60年代のブリジット・バルドー。今っぽいファッション。

Bogart & Bacall

そして 映画を 観たあとは
感想や印象に残ったことを
書きとめておきます。
直後だと 興奮して、
走り書きのつたない
文章になってしまう。
でも、自分がなにに一番
グッときたのかが
かえって 的確に
わかるのです。
メモが残っていれば、
どんな内容だったか
パッと思い出せるしね。

大パール

中にネグリジェと
スリッパ
(ピンク)

『裏窓』('54/米)のグレース・ケリー。
前はこんな感じに
ビデオを一時停止して、
スケッチ風にメモしていました。

最近は思い出し描き。
『スイミング・プール』('03/14)

サラのファッションは '70's 風。
いい柄のシャツをたくさんもってる。
リバティプリント 風のとか、
いかにも 英国風。

棚に入ってた 赤い派手な
中国テイストのローブもステキ。
ヒロインのシーンでそう。

わかりやすいビーチファッション
のジュリー。
やっぱりおもしろい顔

硬から軟へ。
ジュリーと
女として見ることによって
華やかさを少し取り
もどすサラ

別花がステキ、ブルーのマリン戸。南仏風

ピンク×黒
ストライプの
ビキニ

73

残りものには福がある

写真をシールに。
果物やお菓子が好き。

ノートの表紙に栗をペタリ。大きなドーナツ
は封筒にドーンと貼っちゃえ。

細く切った柄の切り抜きを どんどん
つなげて、リボンテープにしてみました。

袋の口にフタをして、
リボンと一緒に
ホッチキスでとめる。

雑誌を切り抜いたら、洋服、雑貨、ショップなど、項目別にクリアケースにまとめて
おきます（それを時間のあるときにノートに貼ってゆく）。そうやって必要な情報
の切り抜きをひととおり終えたあと、「見落としはないかな」ともう一度雑誌のペー
ジを繰り直します。スクラップ帳には貼らなかったけど、花柄のかわいいワンピース
は布部分だけを切り抜いてラッピングのポイントに。料理ページのいちごの写真を
シールに。素敵なイラストは便箋のポイントに。アイデア次第で、残りものも思いが
けない素材に変身したりするから、あなどれないのです。そのまま捨ててしまって
は、もったいない！

4
スケジュール帳

中学のころから欠かさず使ってきたスケジュール帳。
ここでもやはり、貼ったり描いたり。
いつもそばにあるものだから、楽しんで使いたい。

スケジュール帳 その1
わたしの手帳はよい手帳

「どんな スケジュール帳を 使っていますか?」

友人にアンケートをとったところ、ここ数年でアプリにきりかえ、
手帳を使わなくなった人が大勢いました。
そんななか、「やっぱり紙じゃなくちゃ」とこだわって
使い続ける愛用派もちゃんといて、心強いばかり。

私はというと、浮気した時期はあったけど
19歳から同じ手帳を使い続けていました。
それは父の勤め先の A5サイズの手帳。
父の定年後は、過去の未使用のものを
修正液で曜日を書きかえて、
涙ぐましく使っていました。
なぜに そこまで こだわったのか。
探してはみるのだけど、大きさや厚さしかり、
ここまで しっくりくるものがほかになかったのです。
一時期使用した システム手帳は
機能をいろいろ増やせるのが 楽しかったけど、
なんだか深い 愛着は 持てなかった。
その手帳は月間スケジュール以外は 罫線ページで、
自由に作りこめるとこが 好きだった。

思いついた ことを書きとめ、日記を書いて、
気になるお店の 記事なんかも 貼っていく。
手帳を見れば、その年の"私"がだいたいわかるのです。

残り少ないストックを憂いながら使っていた数年を経て、
その後どんな手帳ライフを送っているかは — またのちほど!

パリみやげのシルエットシール

表紙はシールで飾りつけていました。
だんだんボロボロになってくるので何度か貼り直す。
シール LOVE ♡
イラストの中央のシールは、スリランカで買ったもの。

大きなステッカーを どーんと 貼ったり……

ミニシールは
ポイント用に
重宝します。

ギリシャのラベルシール

写真、キラキラ、ヴィクトリアン
……好きなシール ベスト3。

手帳のつくり

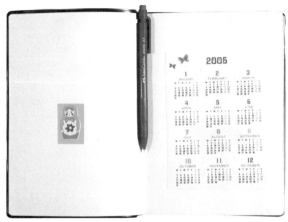

① 見返しには カレンダー

② 世界地図が 4ページ
ついているとこが好き。
ツルツルの紙なので、
ふせんの束を貼っている。

持ち運びやすく、
書き込みやすいの。

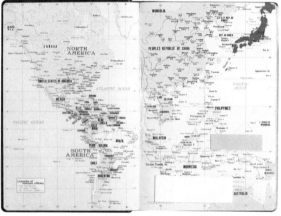

③ 月間スケジュール
波線は外出の用事
(青字は仕事)。
～ はラフのしめきり
□ は原稿のしめきり。

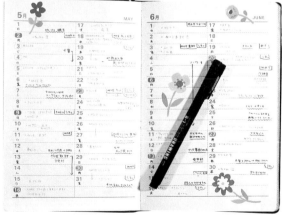

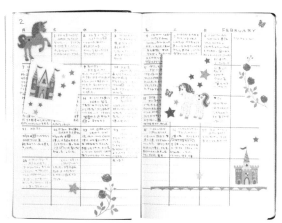

④ 日記ページ
その日のできごとを
箇条書きにしています。

⑤ 情報ページ
うしろのほうに、お店、
観たい映画、読みたい
本などのメモページを。

⑥ 電車マップやポケット
は、あると便利。

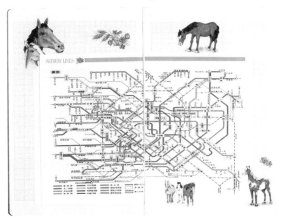

手帳のなかみ

◆ あとのページは自由に
　なんでも、書いてゆく。

PARCOのバーゲンで見たかつ
ボ切ったところにスパンコール(シルバー)
乗せてつけ。

✤ ちょっとしたメモ

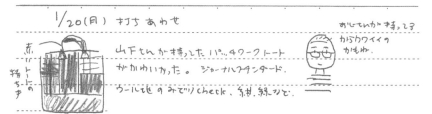

1/20(月)　打ち合わせ

山下さんが持ってたパッチワークトート
がかわいかった。ジャーナルスタンダード。
ウール地のみでリcheck、糸村、緑かと。

おじいちゃが持ってる
からカワイイの
かもね

✤ 映画メモ

こころの湯

とっくりとおちょこもすてき…
すぽんがあ自分
ほうろうのトレイ
ながホ中国がかり。

日付もぴったり

✤ その日の予定

7/9(火) 14:12吉 — 14:28洗 14:34 — 14:48用明
13:50に吉　12:30からヨウイ
やること。皿のおな計図 → 必要な色えんcheck
　　　　　　　○そうじ
8:00 オキ　2:30につめる

✤ 友達が書いてくれたレシピ

BAKED CHEESE CAKE

材料　直径15cmの丸型 1台分
　　　(ぬけるもの)
　　　←この前は20cmの角型使用

プレーンヨーグルト　　300cc
クリームチーズ　　　　250g　←ぜったい
グラニュー糖　　　　　140g　　　フィラデルフィアを
たまご　　　　　　大 2コ　　　すすめるの。
コーンスター4　　大さじ2
生クリーム　　　　100cc
レモン　　　　　　1/4コ

✤ 地図

<ローサ洋菓子店>

田園調布

石原眼科
佐藤
田園
中央病院

✤ 自分を叱咤する言葉
お見せできない
ヤバイもの多数…。

7/13(土) ちゃんとしなくちゃ。
○ 仕事関係のファイル整理
○ 万歩計申告
↓
毎日必要な事をまとめてつけないと

★ なんでも後回しにしてつけ！

✤ 車内スケッチ
中2〜3?

✤ 店内スケッチ

✤ 取材メモ 自分でも読めません…

✤ 仕事のアイデア

✤ 記念スタンプ

その後の手帳

P76〜の手帳は2005年の
もので、父の会社の手帳ライフは
2011年まで続きました。
いよいよ在庫が切れ、
しばらく兄から似たような
企業手帳をもらってしのいだのち、
ようやく書店の手帳コーナーを
覗いたら ── あっさり、
父の手帳とそっくりなものを
見つけることができました。
どんなこだわりにも対応できる
くらい、種類があるんだなぁ。

A5サイズにシールはずっと変わらず。

実直なつくりが好きで、
2016年から「高橋書店」の手帳を愛用。
今までと同じ月間カレンダー＋残りは全部メモ形式の
"T'sマンスリーロジェ"を使っていたけれど、あまり
持ち歩かなくなって、メモが余るように。2021年は
"フェルテ"にしてみました。

荷物が重くなるから…

朝、まずは手帳に向かいたい。

ここ最近のトビラページは、
「コケーシカ鎌倉」の月めくり
カレンダーの表紙を貼る。
ポケットにはDMを
はさんでいます。

最初のカレンダーページは、
絶対月曜はじまり派。
午前と午後に分けて予定を
書けるのが便利。

点線引きは娘の、
波線は自分の予定。
青は仕事のしめきり、
鉛筆書きは
その日やる仕事。

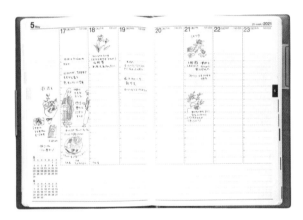

仕事のやる気をアップ
したくて、赤い表紙と
バーチカル式（時間軸が
配置されたもの）を
選びました。
結局スケジュール出しには
ほとんど使わず、
プチ日記を書いています。

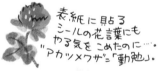

表紙に貼る
シールの花言葉にも
やる気をこめたのに…。
"アカツメクサ"＝「勤勉」。

イタリアで買ったレトロシール

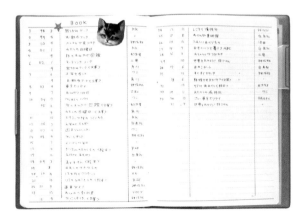

メモは28ページに激減。
自著一覧は毎年書き写す。
仕事メモのほか、子育ての
目標や本の一文なども
書きこんでいます。

スケジュール帳 その2

子どもスケジュール帳

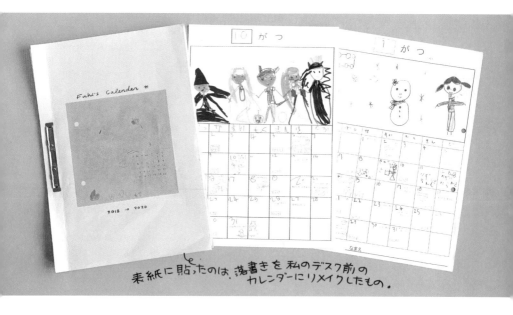

表紙に貼ったのは、落書きを私のデスク前の
カレンダーにリメイクしたもの。

カレンダーをスケジュール帳代わりにする人も多いはず。
私はその習慣は なかったけど、
娘が保育園で描いてきたカレンダーをきっかけに、
子どものスケジュール管理にぴったりなことを発見。
柱に貼ったカレンダーを見ながら
「明日は○○の日だよ」と話し、ひと目で
子ども自身がスケジュールを把握できる。
まだ日にちの感覚は薄くても、
意識的に過ごせるようになるみたい。
8歳になって毎月描かなくなっちゃったけど、
見返すと5歳からの日々が
すぐによみがえってきます。

きょうはなにがあるかな……

84

花火と浴衣とスイカ
（５歳）

毎月季節の絵を描くのは、
とってもいい記録になった。
色画用紙ではさんで
とじたら、作品集のよう。

字をおぼえはじめたら、
日曜日や数字を書きこんで
もらい、練習になりました。

お菓子の家を作ってるよ
（６歳）

11 がつ

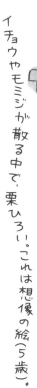

イチョウやモミジが散る中で、栗ひろい。これは想像の絵（５歳）。

スケジュール帳 その3

手帳、見せてください

アプリ派が増える中、手書きを貫く6人に聞きました。

文字を書くのが好き♡

「ロルバーン」専用のクリアカバー

佳奈さん（出版社勤務・30代）
❶「Rollbahn」Lサイズ ❷今年から ❸今年から"バレットジャーナル"に
挑戦。空白ができると手帳をつけるのが嫌になっていたのが、
好きに調整できるので、楽しく続けられている。デイリーの
to doは仕事のほか、"洗濯"やTV番組、なんでも書いちゃう。

1 インデックス（目次）
2 フューチャーログ
（年間予定）
3 マンスリーログ
（カレンダー・タスク・
ウィッシュリストなど）
4 デイリーログ
（1日の予定）を
手書きで作成。
箇条書きにつける
「•」＝「Bullet」。

すんだら斜線を引く

鈴木晶子さん（保育士・40代）
❶「無印良品」上質紙バーチカル
スケジュールノートB6 ❷4〜5年
❸子ども2人の予定と、
仕事の3つを色分け。
カレンダー（無印）にも
書いてWチェック。
バーチカルページには
観た映画や
読んだ本をメモ。

クリアカバーに好きなポストカードを。

あまねさん（大学生・20代）
❶「PAGEM」王様のブランチ×
ペイジェム ウィークリー B6-i
バーチカル" ❷3年
❸友人はほとんどスマホ派
だけど、ノートに書くのが好き。
ひと目でスケジュールを把握でき、
一度書くと忘れにくい。

学校、バイト、家族行事など、5色の
印づけでわかりやすく。

※2013年にNY在住のライター、キャロル氏が考案したノート術。自分でカレンダーや
目標、to doリストなどを作成し、書きこんでいく。

❶ メーカー、商品名　❷ 使用歴　❸ 活用法、お気に入りポイント

甲斐みのりさん（文筆家・40代）
❶「新潮文庫」"マイブック"　❷ 20年ほど
❸ 日付けだけが印刷された、無地の文庫本に予定を書く。
PCにもしめきり順に仕事の一覧を作っているので、月間
カレンダーがなくても大丈夫。自分の文庫本のようで楽しい。

ほとんどスケジュール
だけだけど、時々
アイデアを書きとめる。
浮かんだフレーズや
思いは、スマホから
自分のPCのアドレスに
送って記録したり。

木村圭輔さん（編集者・30代）
❶「ミドリ」"ミニマルダイアリー
〈B6〉進行"　❷ 1年
❸ "Googleカレンダー"と
併用。プロジェクト並列型で、ひと月
単位で同時進行する予定を把握
できる。薄くて携帯しやすい。

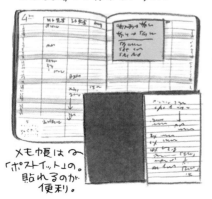

メモ帳は
「ポスト・イット」の。
貼れるのが
便利。

葉月さん（高校生・10代）
❶「無印良品」"上質紙
マンスリー ウィークリーノート B5"
❷ 今年から
❸ 勉強のスケジュール管理に使う
から、月間で大まかに考え、週間で
細かく計画を立てられる。
まわりはスマホが多いけど、勉強中
見てしまわないよう、手帳に。エライ！

ノルマを課して、苦手な英語をがんばっている。
こなせた日は ◎ 。

手帳の達人

手帳を楽しむ2人のノート拝見！

フォト手帳 ◆

杉浦立峰（50代・公務員）

2つ上のわが兄は、記録好きの父の血をさらに濃くした人。とにかく多趣味で、最近は写真、ラグビー＆サッカー観戦、文具、スキー、etcに熱中。かわいいもの好き。

◆右：ほぼ日手帳
1日1ページ／月間A6◆
使いはじめた2010年から、写真を貼るように。行動メモを書いておき、月イチでスマホの写真をインデックスサイズでプリントアウト。好きな写真を貼っていく。

和田誠さんのカバーも

「シェーファー」の万年筆

ものすごいカメラを持ち歩く

◆左：新日本カレンダー
2フェイスノートブック◆
スケジュール帳と別に、一日の予定と流れをメモするノートも。

・おでかけ、買ったもの、飼い猫、
・試合観戦などの写真が並ぶ。
・これは読み返すの、楽しいなぁ。

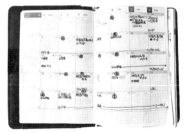

カレンダーには大まかな予定と、好きなチームの試合（結果も書きこむ）。

具体的な感情などは書かないけど、写真を見ればすぐ思い出せる。

安藤百花 (20代・モデル)

『スクラップ帖のつくりかた』(2005年)で、9歳時のはじめての
手帳を掲載させてもらったももか。おっとりしてるけど,
好きなもの,大事なことがたくさんあって,あふれる思いを
文字や絵で書きとめる。感性豊かな女性に育ったなぁ…。

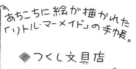
あちこちに絵が描かれた
「リトル・マーメイド」の手帳。

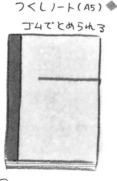
◆つくし文具店
　つくしノート(A5)◆
ゴムでとめられる

フォーマットが決まっている
手帳が苦手で,無地の
ノートを愛用。1年半ほどで
200ページが埋まる。
すぐに取れる場所に
置き,常に持ち歩く。

ちいさいころから日本人離れしたスタイル。笑顔も変わらず。

16 years later

忙しいときは
スケジュールや to do を
簡条書きに。
別紙に書いて それを貼ったり,
書き直すことも。思考を整理したい。
手帳派はまわりで少ないけど,書くのが好き。

展示のDM,映画のチケット,「日本民藝館」での模写,バッグのデザイン画,やりたいこと,
「食べることについて」「漆黒とは」— そのときどきの思い。とにかく書いて考える人。

BRUNNEN の 手帳

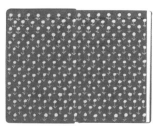

ドイツの文具メーカー BRUNNEN の 2000 年の手帳。どこのお店で買ったのか忘れてしまったのだけど、もったいなくてとても使えない、私の宝物です。その後同じメーカーの手帳を探してみても、シンプルな普通のやつしか見つからないから、ミレニアム記念に作られた特別版なのかも。真っ赤な表紙を開くと、愛らしい花柄の見返し。スケジュール・ページにはところどころしゃれた挿し絵が入り、イラスト入りのコラムに、季節ごとのカラー扉。手のひらに収まるくらいの小さなサイズがまたかわいいのだ。どこもかしこもエレガントでチャーミングで、まるで絵本を見るような気分で、時々ページをめくります。いつかこんな、上品な手帳を作るのが夢。

5
旅の手帳

年に1度か2度の海外旅行に出ると、
必ず"予習ノートと日記を作ります。
私の旅の記録のつけかたを、大公開！

旅の手帳 その1
旅の前と、途中と後に

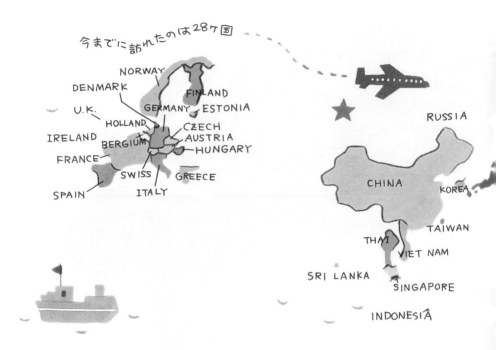

今までに訪れたのは28ヶ国

NORWAY
DENMARK
FINLAND
U.K.
GERMANY — ESTONIA
HOLLAND
CZECH
IRELAND
AUSTRIA
BERGIUM
HUNGARY
FRANCE
SWISS — GREECE
SPAIN
ITALY

RUSSIA
CHINA
KOREA
TAIWAN
THAI
VIET NAM
SRI LANKA
SINGAPORE
INDONESIA

旅に出るたび 必ず作る、「ガイドノート」と「旅日記」。
私のノート道における、メインイベントであります。

ガイドノート作りのきっかけは 修学旅行でしたが(P10)、
本格的にはじめたのは、最初の海外旅行のとき。
ヨーロッパ6ヶ国を列車でまわる旅で、はじめてだし
訪れる国は多いしで、出発前は 不安だらけ。
"調べて まとめる" 作業が好きなのも 大きいけど、
ある程度 勉強して、安心したいから… というのが
ノートを作った 一番の理由です。

ポルトガル.トルコ. NY, 一瞬まゆ、ただけの
ヨーロッパの国々…まだ行きたいところだらけ。

U.S.A.

MEXICO

ガイドブックから必要な情報を書き出していくうちに
なんとなく地理がつかめるし、やりたいことも考えやすくなる。
そして遠足前の気分を存分に味わえるのが、
なによりも楽しいのです。

日記も、初海外以来 欠かさずつけています。
日中はかなりハードに動きまゆるので、
日記をつけることが負担になることも多い。
それでもやっぱり旅のことは絶対描きたくなるから、
記録は必要不可欠なことなのです。

私の旅の数だけの、旅の手帖。
ぼろぼろのページをめくると、
いつでも その旅のときめきがよみがえります。

旅の手帳 その2

旅の前・ガイドノート

ガイドノートは 旅の2〜3週間前から、
合い間を見て 少しずつ作っていきます。
ガイドブックの地図をカラーコピーして
ノートに貼るとこからはじめて、
行きたいお店や食べたいものなどを
調べて、書きこむ。
多少順番がずれても、気にしない。
自分にわかればいいのだから。

1冊目のときは言葉、通貨、気候まで
バカ真面目にすべての情報を
書きこんだものですが(→P11)、
だんだん内容も淘汰され、
使いやすく 見やすくなるように
改良を加えています。

こんだけ
たまりました……

バルには味なおっちゃんが集う。

Madrid

言葉で必ず覚えていくのが、
基本的なあいさつと……「ビール」!
スペインのバルで「ビアー・プリーズ」と
注文したら……ミルクがきちゃったよ?!
それからはキッパリハッキリ、
「セルベッサ・ポルファボール!」
(ビール)

Kailua kona
aloha……

ロストバゲージ対処法も
1冊目で覚え、10年後の
ハワイで役立てました……。

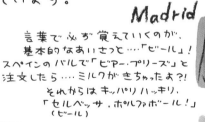

Hong kong

歩きながら地図を見る。
地下鉄の路線図片手に
自由自在に移動する。
お目当ての店を探す。
途中で思いがけない
お店を見つけて、寄り道。
食べたいものや欲しいものの
切り抜きを見せる。
ノートを広げて 筆談する。

こうして バッグから 出しては入れて、
ノートは 旅の間中、大活躍してくれる。
頼りになる、旅の相棒です。

香港の地下鉄は スペーシーでかっこいい。

London

いろいろ調べていったのに、
国民の休日で全部休み！
ってこともありました…。

Nha Trang

人なつっこい国民性も
大きいけどね。

ノート・コミュニケーション度
1位はベトナム。
言葉のシートを
貼っていったから。
これでけっこう会話？
は成立していたっけ。

ガイド ノートのなかみ

何ヶ所か訪れる場合は、
ネームシールを小さく切って、
インデックスシールを作ります。

Viet Nam 1999

ポケットは必ずつけて、地図やメモを
入れる。1ページ目にはスケジュールを

Shanghai 2001

その国や街の位置関係を摑む
ため、全体マップも入れたりする。

Hawaii 2003

泊まるホテルの情報

Hawaii 2003

地域ごとに地図を貼って、
行きたいところを書き出す。

Viet Nam 1999

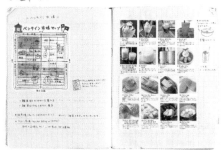

食べたいものは忘れずに!!

Shanghai 2001

レストランで、隣の席だった人たちと
筆談。お互いの職業のことなど。
なんだろ？ この絵……。

Shanghai 2001

上海でオーダーメイドの服を作る
ために用意した.デザイン集。

Kyoto 2002

Shanghai 2001

スケッチメモ。左は,京都のおしゃれ事情。
右は友達が思い出し描きを
してくれた,雑技団のポーズ絵。

Viet Nam 1997

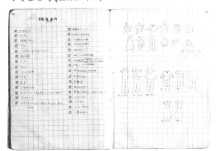

持ちものチェックのページ。友達に
服の組み合わせメモを笑われるんだけど…。
ヘンかな？ 考えておくと楽なんです。

どれも小さめのバッグにも
おさまる.A5くらいのサイズです。

旅の手帳 その3
旅の途中・日記書き

スリランカのシギリヤ。町のはずれに巨大な岩山・シギリヤロックが鎮座しています。

その昔、この上に宮殿を建てた狂王がいたそうな。

トゥクトゥクで岩山に向う。土ぼこりがすごいので、ハンカチでガード！

たいがい旅は 二人以上で 行くので、
同行者がお風呂に 入っているときか、
寝る前に 日記を 書きます。
しかし くたくたに 歩き疲れていたり、
酔っぱらって 顔も 洗わずに 寝てしまう日も あるわけで……
必ず 途中で だぶついてくるのが 悩み。
だんだん 前日、2日前のことを 書くようになって、
いつも 帰りの 飛行機で 仕上げる ハメに なってしまう。
そこまでして 書くのは、資料として 必要だから。
そして ためこんで しまうのは、
1日の流れにそって こと細かに つけていく
私の書きかたに 原因が あるみたい。

野生の山羊が3匹…が、こ"い情景だった。

腰にタオルを巻いた.
見学の女子高生たち。
真っ白な制服が、赤い
土ぼこりで汚れないように。

一緒にスリランカを旅した友達は
印象に残ったことだけをランダムに.
絵とちょっとしたコメントでササッと書き記していました。
私は欲張りだから あれもこれもと、
その日あったことの全部をつめこみたくなるけど.
意外とそんなメモ書きのほうが
明確な旅の記録になるのかも。
私のは字が多くて しかも殴り書き。
あまり読み返す気になれないもんな。
いつか、スッキリしゃれた旅日記を完成させたいものです。

旅日記のなかみ

見返しには包装紙を貼りつけて。

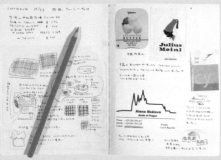

初日の日記。飛行機内でのメモ、
機内食などのラベルをペタリ。

最初におこづかい帳をつけてから。
日記を書く。

プラハから、かわいい田舎町・
テルチへ小旅行。

ちょうど紅葉の
ころ

社会主義国時代の
車がかわいい…!

チェコはかわいいラベルの宝庫!
朝ごはん2回分でこの収穫です。

TICKET AMSBUS

tum / date	nástupiště/ platform	sedadlo/ seat	
0.2004	15	17	bus 1

zdného fare type
jízdné

dopravcei operator
ESAD Kladno a.s.

PLZEŇSKÝ PRAZDROJ
OD ROKU

ビール天国、チェコ。コースターは
た―くさん集まりました。

老舗 ビアホールがいっぱい

ホテルから友達に送ったFAX.
民俗博物館のスケッチなど。

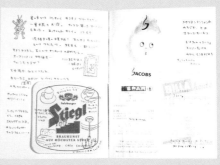

帰りに ウィーンで2泊3日の 一人旅。
カフェの コースターにスケッチ。

101

❀ 2007年 ヘルシンキ＆タリン旅 ❀

絵本の束見本（P18）は1週間ほどの
旅日記にぴったり。固形絵の具パレットと
筆も持って行く。
表紙にはエストニア（左）とフィンランド（右）の切手。

ライラック

6月のヘルシンキは花ざかり……

ルピナス

トラムで ヴルッテリ FMへ。ふりるがりへ 好てんが
つれていってくれた。 教世墓みたリス FM…というら バサー

手作のおバックを
売るオバさん

アろくての ブルーベリー
30€
オバさんの月€で 売りはちかくて

オランダから 売りにまている人も

王別そーフの あたり
4€に あそうめ？

フヨヤ
アろうビアの
ぶりっをく
SWEDENり
…

Cafe Ursula

ローティ のヘア
ジョゥティ フォスラー
みあいげ カウイイ
4わつ

公園には
シャクナゲ

Café Ursula

ミナモンロール

なんとこの花
写すまけリ

︸ 紙ナプキンに食べものスケッチ

一緒に旅した友人も 絵や日記を
描く人だったので、めずらしく
のんびりホテルでスケッチをしたり。

ヘルシンキから フェリーで 訪れた、エストニアの タリン。

Talin
22.10

Melissa hotel old time
ツリハウのとびきっプ ロコが系

街中で綿毛が ふわふわ…ヤマナラシの木の種なのだそう。雪のよう。

Cesel Palace 9F 28:12

ハハ カンジのかつ BAARIで 9Hで はガ。ハカにエシへ。
スリメッコでは 付も 菓めろ。 トランで 田才へ

てリけカ 技好が スアオキだった タァる
フィンランド女子々
マリメッコ 女 好き！
オバちゃんも

男子 も ズッコポーダー
着用。ほしくなっしまった。

London 1993

はじめての旅日記

Shanghai 2001

本の取材旅行。チェキを持っていっていた。

古本市で買ったマッチラベルのコピーを表紙に。

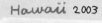

Hawaii 2003

ハワイ島は日系人の
お店が多く、わりばし
袋をいくつもゲット。

Norway 2007

ノルウェーのりんご"アロマ"

プレスツアーでノルウェー
周遊。ノートは現地で
調達したものを
使うことも多い。

日記のおかげで、その後
旅ごはんの本を
描くことができた。

紙に包まれた
さくらんぼビール

Belgium 2007

Mexico 2012

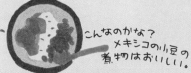

こんなのかな？
メキシコの小豆の
煮物はおいしい。

最終日にカメラをなくしてしまった
メキシコシティ＆オアハカへの旅。
書きなぐりの日記が唯一の記憶……。

Hawaii 2015

Taipei 2016

初の子連れ旅。1歳の娘が寝てるすきに書きました。
時系列にスケジュールを記録した程度。

表紙にラベルなどを
ペタペタ貼って。

旅日記、見せてください

2人は旅日記名人！らしくてステキな日記です。

イラストレーター
すげさわ かよさん

留学していたパリを訪ねたり、
一緒にチェコにも行きました。
色えんぴつのこまか〜い日記
には感動…！

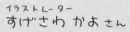

❶ 友達に、旅で見つけたステキなものを報告したいから。
日記をベースに新聞やミニブックを作るのが好き。
その旅を鮮明に思い出せるし、発見があったりするから。

❷ その場でささっと書くことが多いです。あとはレストランで
待っているときや、駅・公園のベンチ、電車の移動中など。

❸ 「月光荘」の無地スケッチブック（ポケットサイズ）／0.4mmくらいの
黒ペン／ミニサイズの色えんぴつ

❹ 忘れちゃわないように、その場で書くことかな。

❺ 印象深いのはモロッコ。また行きたいのはチェコと北欧。

✚ ヨーロッパ一人旅　1998. APRIL 8 — MAY13

現地の文具店で、味のあるノートや
色えんぴつを買って使ったりもするよ。

〈Questions〉 ❶ 旅日記をつける理由　❷ いつ書きますか　❸ 画材
❹ 旅日記で心がけていること　❺ 一番好きな旅先

版画家
彼方アツコさん
大学のクラスメイトのあっちゃんのは、
味のあるかっこいいスケッチ集。
札幌で創作活動をしながら、
銅版画教室の先生としても活躍。

バイブルみたいでかっこいい
手帳は、スクラップでパンパン！

淡々と爆笑発言を繰り出す、愉快なあっちゃん。

❶ 美しいものに感動すると、それを
記録して自分のものにしたい。カメラを持ち歩かない
ので、絵日記になりました。スケッチだと深く頭に
刻み込むことができ、臨場感があるので再び旅を楽しめる。

❷ 時間があれば、その場。移動中やホテルでも書く。

❸ ペリカンの中細の万年筆。ブルーブラックのインク。

❹ 自分の意見や感情はあとで恥ずかしくなるので
なるべく書かず、客観的に事柄だけを記録する。

❺ フィレンツェ。街が美しいし、気候もいいし、住みたい！
と思った。なによりイタリアは食べものが美味い!!

✤ ヨーロッパ一人旅 2002. OCTOBER 16 – NOVEMBER 2

ノートは小ぶりのものを選び、一番取り出しやすいポケットに入れておく。

旅の後・アルバム作り

雑誌の取材で 1週間,
オアフ島に行ってきました。
自分の旅だと 写真の数が 膨大すぎて
整理するので 精一杯。
でも今回は取材の合い間に写した,
フィルム5本程度の ほどよい量。
ス゛しぶりに アルバム作りを
楽しんでみることにしました。

出番待ち ガールズ。ドキドキ…

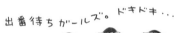

ワイキキの休日イベント「ブランチ・オン・ザ・ビーチ」にて

チャイナタウンのレイショップにて

買ったレイは金魚みたいにぶら下げて帰るの

ただ写真を 並べるだけだと つまらないし…

そうだ! フリーマーケットで買った本に
ペタペタ貼っていっちゃおう。

買い物も抜かりなく。
「ウォルマート」でラブリーな
布とリボン。

取材先のキルト教室に
飾られていた、ナゾの人形。

気になる…。

その本は ティーン 向けの 自己啓発の本らしく、
持ち主の 女の子が シールを 貼ったり
ラインを 引いている 様子が かわいくて、
何に 使うでもないけど 買ったもの。
うんうん、今回の 旅のアルバム帳にぴったりだ。

カム・ドライブイン・シアター跡
のスワップ・ミート(フリマ)で
$1 でした。
トビラには メッセージ付き。
叔母さんあたりに
もらったのね、きっと。

▶ 物色中の私の
写真を見たら…
サムライみたいな
顔をしとる。

作りかたは いたって簡単。
写真をのりで 適当に 貼って、
文字や絵を 書き込めるように
ジェッソを ラフに ぬります。
あとは自由に、描いたり
シールを 貼れば できあがり。

安い古本や 古冊子で
作ってみても いいな。

ジェッソ (白い地ぬり剤)
は 画材店で

真っ暗な失敗写真にもジェッソを
ひいて、上から色をぬっちゃおう。

109

ロビーの
スタンド

星のシールや薫色いラインは、持ち主の女の子によるもの。

ソファもタツノオトシゴ柄

取材途中に通り抜けた、ワイキキの「パシフィック・ビーチ・ホテル」※。
レストランからロビーをつらぬく、高さ3階ぶんの巨大水槽に
ど肝を抜かれる。インテリアがかわいい!

※ 現在はホテル名、内装がかわっています。

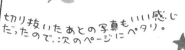

切り抜いたあとの写真もいい感じ
だったので、次のページにペタリ。

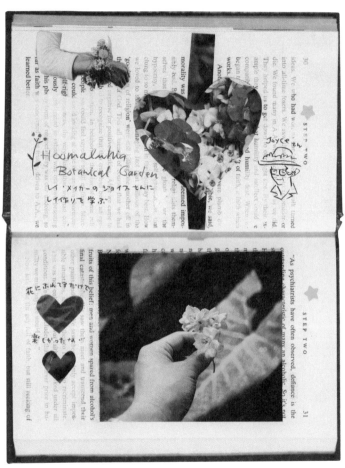

花にふれてるだけで

楽しかった頃

レイ作りを教えてもらいに、カネオへの
「ホオマルヒア植物園」へ。
花って しみじみ、かわいいなぁ……。

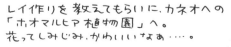

111

旅のなぐり書き集

SRI LANKA
さとう入りの ミルクティー
さとう（すごいラメみたいだ！かたまり）
バナナ
バナナ‥‥。

ヒロミ・ゴー
イム・んで
私は おんすリ‥‥
友達が、かっこいい、と言っていた ホテルの ベルボーイ氏。

PARIS
市場でモ2 パジャマのたたき売り。 この "人" の表現、小学生以下だ。

SHANG HAI
2001. 10. 30
文中のエビ。左に手本を描きだした友を、「もうイイ！」と逆ギレ 制止。サインまで書かれて‥‥。

新旧 シナゴーグ
CZECH
本物はコレ。 プラハのユダヤ教会 「旧新シナゴーグ」
描きゃいいってもんじゃない。

私は絵がへたくそです。普段は資料や写真に助けられて、なんとかごまかしごまかし描いてますが、ひとたびそれを取り上げられると……このていたらく。思い出し描きのセンスが、まるでないのです。友達には笑われるし、あとから見ると自分でも笑ってしまう。酷くて。上海のレストランでエビ料理があるかを聞きたくて、手持ちのノートにササッと描いてみたところ、お店の人は「？」。横にいた友達がその上から手直ししたら、「ああ、エビね！」とやっと理解してもらえました。屈辱。本当に「絵のうまい人」というのは、何も見なくても、的確にそのものの特徴を描ける人なんだと思います。こうしてネタとして書けたので、いいんですけど。

6
お仕事ノート

目標を書き、やるべきことを整理して、情報を集める。
一番熱が入るのは、仕事のためのスクラップ帳。

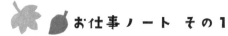

制作プランノート

私のライフワークは、本づくり。
いざ新しい本を作りはじめる前に、
まず用意するのが一冊のノート。
まっさらなノートの1ページ目に、どんな本にしたいかを
書きこむことから すべてが はじまります。

❋ 歳時記の本のプランノート ❋

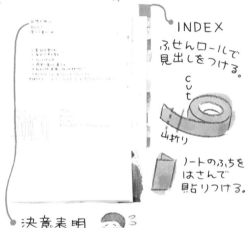

担当編集さんとの大事な
メールのやりとりは 貼っておく。

INDEX
ふせんロールで
見出しをつける。

cut
山折り

ノートのふちを
はさんで
貼りつける。

ページの増幅

決意表明 🙂3
「自信を持って 私らしく 楽しく描く」

なにかと悩み 迷いがちな
制作過程、いつも忘れないように。

途中で内容を
足したくなったら、どんどん
ページを増やしていく。

ノートのサイズよりひとまわり小さく紙(ミスコピーなど)を
切り、のりしろを折って ノートに貼り足す。

草花のことを たくさん描いたので、
写真や開花時期などをメモ。

制作中は ノートを
いつもかたわらに置き、
アイデアを考え
資料写真を貼り、
相棒として
活躍してもらいます。

カレンダーを12ヶ月分つけたので、
ひと月ごとに描きたいことを
並べていく。

← 季節の記事や資料をまとめたファイル

本が無事完成して
ノートの役目がおわると、
スクラップの台紙にリサイクル。

初期作『お散歩ブック』(99年)の
ノートは"手作り"のスクラップノートに。

98年、吉祥寺の
古アパートで
夢いっぱいに
ノートに
むかっていたなぁ。

迷いなく こんなふうに
循環させてきたけど、
初期のものくらいそのまま
とっておけばよかったな…
なんて思うのは、
歳を重ねたせいかしら。

お仕事スクラップ

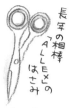

長年の相棒「ALLEX」のはさみ

私は なにも見ずに 絵が描けるタイプではなく、
膨大な量の 資料が必要になります。
家族にポーズを とってもらうのは もちろん、
普段から切り抜きを 集めて、資料を作っています。

◆大学・卒業制作◆

ファッションABCブックを作りました。
「E」の「ENGLISH TASTE」のページ。

◆ 映 画 ◆

学生時代からの夢だった映画の本。
映画ノートだけで10冊あります。

◆ ボツラフ ◆

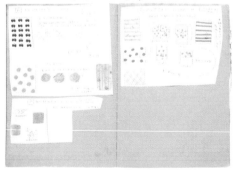

仕事で採用しなかったラフやアイデアを
とっておく。その後日の目を見ることも。

◆ 絵 本 ◆

かわいい絵本の表紙などを集めて。

ポーズ集、雑貨、インテリア、子ども など
項目別にノートを作り、貼っていきます。
高校生のころの ポーズ集も捨てられず、
その数ざっと 70冊以上。

仕事ではあるけれど、やっぱり
スクラップする作業が楽しくて、
これも趣味のようなもの。

項目別に切り抜きを
クリアファイルにストックしておく。

◆ ポーズ（動作） ◆

読み書き、そうじ、料理など、場面で
まとめて。取材時の写真も貼る。

◆ 雑 貨 ◆

器、ぬいぐるみ、椅子、かご とこちらも
項目別に並べています。

◆ 子 ど も ◆

ポーズ集・子どもバージョン。

◆ アイデア ◆

ステキなデザインのレイアウトなど。

手作り資料集

いつもの仕事と 勝手がちがって
ひどく 緊張 するのが、
絵本を 描くこと。
アメリカの 児童文学者・
シャーロット・ゾロトウの 絵本
『そらは あおくて』の 挿絵を
担当することに なったときは、
しばらく不眠が 続くほど 不安でした。
少しでも 心の 余裕が ほしくて、
普段より 余計に 資料探しに 奔走。
1920、1950、1980年代 それぞれの 暮らしを
描くことに なり、
その 時代が 舞台の 映画を 観たり、
ネットで ひたすら画像を 探したり。
ページを 足しに 足して、
ぶ厚い 資料集が できました。
その 時代の 空気を 頭に たたきこみ、
お守りのような ノートに なりました。

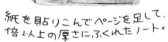

紙を貼りこんでページを足して、
倍以上の厚さにふくれたノート。

女の子と母、祖母、曽祖母と
4代つながる物語。

現在のシーンでは
自ら娘と
モデルになり、
写真を
撮ってもらう。

自分の幼少期と
リンクする80年代は、
ノリノリで調べました。
アメリカが舞台なので
検索は英語で。

洋服や街並み、商店、
インテリアなど。
そのほか季節の鳥や
草花の資料も。

Chickadee
(コガラ)

絵本の象徴的な
アイテムだった人形は、
各時代たくさん
リサーチ。
これは50年代の。

アルバムもキーアイテム。
20年代はなかなか
一般家庭の資料が
出てこず苦労しました。

買い物はどんなバッグで
行ってたんだろう。とかね。

119

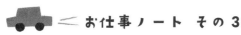

お仕事ノート拝見

あなたの お仕事ノート、見せてください！

設計士 まゆこさん（40代）

※ 測量野帳（や ちょう）（KOKUYO）※

三角スケール（通称サンスケ）、フリクションボール
（消せるボールペン）で、三種の神器。

現場ではヘルメット
上っぱり、安全靴、
そして野帳。
かっこいい〜。
ソーイングが
趣味の、
一児の母。

娘のも、自分の服も作っちゃうよ！

建設会社の設計部門で働く
まゆこさんが愛用するのは、
1959年に測量技師のために
発売されたノート。
胸ポケットにぴったりおさまり、
石硬い表紙と平らに開くつくりが
屋外で筆記するのにぴったり。

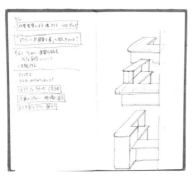

店舗のカウンターのデザインを、
打ち合わせ中にサラサラ描いたり……。

リノベーションを手がけることも多い。
館内すべてのトイレのシステムのメモ。

無骨でかわいい！

さまざまな 色の表紙や耐水性のものもあり、コンパクトで
安価。持ち歩き用のアイデア＆スケッチメモにいいなー。

ページ数は80P。まとめ買いで
お得に手に入れることもできる。

デザイナー 軸原ヨウスケさん (40代)

夫婦共通の仲よしの友人

ボックスは7つある。レシピカードみたいに探すのだ。

「KOKUYO」"情報カードボックス B6"

パッケージや本・ポスターデザインの仕事のほか『アウト・オブ・民藝』(誠光社・共著)も出版。とにかく博識。

✳ 情報カード (コレクト) ✳

B6サイズ100枚入り。このボックスは「ライフ」(廃番)。

元京都大学教授で民族学者の梅棹忠夫が著書『知的生産の技術』(1969年)で提唱した情報カード。記録しておきたい情報を書き、項目ごとにまとめておく。

〈夢二の色彩〉 2016.10.18

竹久夢二の絵をスケッチ。尊敬するデザイナーや作家の言葉を書き留めたり。知的好奇心のかたまり。

「読書」のボックスには "郷土玩具" "バウハウス" など、「アイデア」には "文字" "COLLOR" など。手で書くとおぼえるし、いつでも取り出せるから忘れてもOKなんです。

熱心にやっていたのは2006〜2009年ごろ。

仕事のアイデア出しは「つくし文具店」の "つくしノード" を愛用。ほぼデジタルかと思いきや、結局早くよいものができるので、ラフや下絵は意識して手で描くようにしているそう。

プライベートでなかなか映画が観られないのが悩みか。

テレワーク中はダイニングが仕事場。

3人の男の子のママ。大忙しなはずだけど、いつも朗らか。

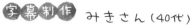

❋ バインダー ＆ マンスリー ノート（無印良品）❋

海外・国内の映画に、聴覚障害者のための字幕をつける仕事をしているみきさん。バインダーのルーズリーフには、配給会社ごとに細かく書かれたルール、スケジュール帳には仕事の予定がびっしり。

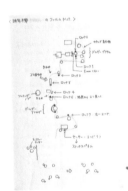

会社でアプリでスケジュールを共有しているけど、書かないと忘れそうで……。やっぱり紙が好きだしね。

3人の子育て日記は「Rollbahn」のノートに6冊！

❋ 単行本ノート（無印良品）❋

小4でマイケル・J・フォックスのファンになって以来、映画好きに。今の仕事に就く前もシネコンの映写技師、配給会社、映画ライターと、ずっと映画に関わるお仕事。感激したのが、映写技師時代のノート。きれいに書きこまれたノートからは、熱意や「好き」があふれて、これは宝物だなあ。

PROJECTION 2003

2003年はまだアナログ・フィルム上映があったのねえ。

萩原 貞臣さん (50代)

✳ 3冊の手帳 ✳

26年以上の
お付き合いになる
担当H氏。

落研出身で(1年に
一度は高座にあがる)、
落語関係の書きこみ
多し。

仕事ノートは3冊づかい。
出社してはじめにやるのは、
ネット通販サイトの本の
ランキング・ベスト3を手帳に
書き写すこと。
↙

1「高橋書店」"フェルテ3"（スケジュール）

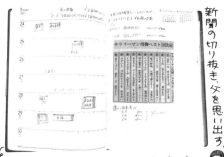

新聞の切り抜き、父を思い出す。

長年の高橋ユーザー。仕事、病院、
プライベートと、予定を色分け。メモ
ページのあちこちに、新聞の切り抜き。
本の気になる一節などもここにメモ。

3「ほぼ日手帳」"カズンavec"
（ネタ帳）

半年版の"avec"に、毎日2本、
本の企画を考えて書くことを
課しているそう……(昔は3本)！
入社以来の習慣で、ネタ
探しによく見返すノート。
ずっと思っていたけど、お仕事が
本当に好きなんだなぁ。

2「ツバメノート」(to do)

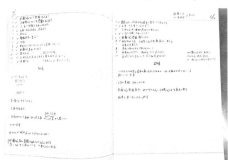

毎日10項目は書き出す
to do ノートも、ずっと
続けていること。

「〜しよう」と自分に
言い聞かせるように鼓舞。

ノートに向かう
顔と別人…

よいことは何度でも

✳️ 本作りの
　　指針 ✳️

出産後 仕事に対して
あせっていたころ、
夫にアドバイスして
もらったことは、毎年
スケジュール帳のうしろに
書き写しています
（夫は占いの仕事も
しているので助言上手）。
左は過去の旅行一覧
（仕事でよく描くから）。

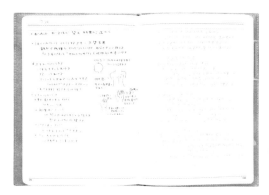

✳️ 子育て自戒 ✳️

去年のスケジュール帳に
書かれた、娘との
もめごとの対処法。
キーッとなったときに
さすってあげるツボも
描いてある。
コピーせず、また
手書きで書きおこる。
全部できなくても、
忘れないでおきたい。

私は書いて考えるタイプなので、仕事や子育てに行き詰まると、ノートに向かって思考を整理します。自分の理想とする行いや、本からの引用、人からのアドバイスなどを、箇条書きにまとめていきます。ただ、一度書いて納得しても、それをずっとは持続できないのがむずかしいところ。人間ですもの。そんな時は書いたものを読み返したり、よく使うノートにまた書き写し（私の場合は一番開く機会の多いスケジュール帳）、内容を叩き込みます。何度も、何度でも。心の奥底に刻みつけたいのと、もやもやした気持ちを落ち着かせる、写経のようなものなのかもしれません。

7
イベント ノート

なにか大きな イベントが ある時も 作ります。ノート。
引っ越しに 結婚、子育て、はたまた ダイエット。
ひとつずつ計画をたて、楽しんでこなしたいもの。

✂ イベントノート その1
作戦ノートを作ろう

2005年、長いこと暮らした アパートを出ることになりました。
何年も前から 引っ越したかったのに、
忙しさをいいわけに 先延ばししていたら、
8年もの 時がたってしまっていて。
大きな公園と 土の道の上水路の すぐそばで、
環境は 大好きだったけど、
部屋には もういい加減 あきあき。
気分を変えたい！

自転車を買うことから、すべてがはじまりました。
めざすは隣町・西荻窪。
大好きな町で 物件探しの日々。

なかなかいいのが 見つからず……
30軒以上は
内見しました！

間取り図に 印象やメモを
書きこみ、気になる物件は 写真も撮る。

緑いっぱい・花いっぱいの テラスハウス。長屋風

紆余曲折を経て、
なんとか満足のいく 新しい部屋を
見つけることができました。
さて、手はじめにとりかかったことは ──
「引っ越しノート」作り。
ここでもやはり、ノートの登場です。

行くぜ

フリー稼業ですから、あやしまれぬ
ようにゆわりと 小ぎれいにして
不動産屋に乗りこむ。

だって引っ越しは、暮らしの中の一大イベント。
夢も希望も、やることも山積みです。
目標を達成するためには
それなりの計画を立てなくちゃ。

切り抜くついでに、
ついつい読んでしまう。

もともと引っ越しが好きではないから
(大変だから!)、ノートでも作らないと
てんでやる気が出ません。
まずはためこんでいた雑誌の整理から…

この時は"引っ越し"がテーマだったけど、
ほかにも いろいろな 目標に 応用できます。
ダイエット、就職活動、パーティー、結婚式。
旅のガイドノートも このカテゴリーに入ります。

妊娠初期時の夫婦の写真。結婚後太った
義兄に対し、「サギ師!!」の文字が躍る。

私の姉はマメマメしく
出産・育児日記をつけていた。
エコー写真やお祝いの手紙を
貼って、お腹にいるときから
2歳までの甥っ子の記録は
10冊にも及びます。

ちなみに エヘ 母の場合 →P142

目標に向かって イメージを 具体的に掲げ、
プランを立てて、ノートを活用していく。
引っ越し大作戦のはじまりはじまり一。

引っ越しノート

ノート

とっておきのギリシャノートに、
ハワイで買ったカラフルな
インデックスシールをつけて。
仕事場、寝室、DK、庭、の
4つのカテゴリー。
古いメゾネットタイプの2DKで、
小さい庭もついているのだ。

シンボルツリーに"ヒトツバタゴ"を
植えました。2〜3年後に白い花が
咲きはじめるそう。楽しみ！

↳ とにかく持ち歩くので、表紙が
厚手の丈夫なものを選ぼう。

トビラ

↳ ポケットは後ろにもつける

ポケットをつけて、
書類やメモ入れに。
新居の住所・電話、
不動産屋の連絡先
なども書いておく。

フムフム

引っ越し業者の見積りから、
全部書きこみます。
4社でがっちり見積りを
とりました！

スケジュール

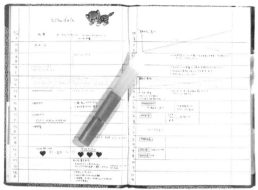

引っ越し前後1ケ月の
スケジュールを立てました。
全然予定通りに
いかなかったけどさ…。

友達を大勢招いて大セール！

家でのガレージセール、古本屋。前半は
不用品の整理に追われる日々。

人形や
水でっぽうなど、
おもちゃは
同じアパートのちびっ子に
あげました。

間取り図

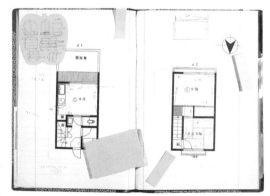

間取り図のコピーを
2～3つ貼って、ひとつは
サイズを書きこむ用。
残りは家具の配置を
考える用に。

まだ引っ越し前、
西荻窪で打ち合わせをした
編集さんと。
ちゃっかり新居の
計測、計測…。

えーと 1m83…

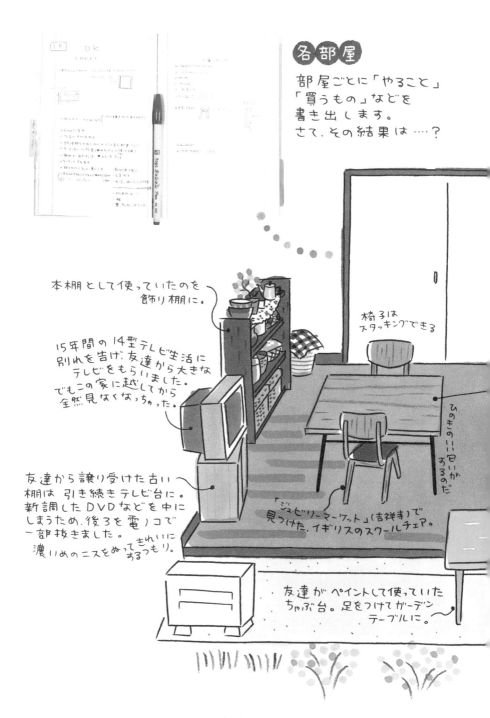

各部屋

部屋ごとに「やること」
「買うもの」などを
書き出します。
さて、その結果は…?

椅子は
スタッキングできる

本棚として使っていたのを
飾り棚に。

15年間の14型テレビ生活に
別れを告げ, 友達から大きな
テレビをもらいました。
でもこの家に越してから
全然見なくなっちゃった。

ひのきのいい匂いが
するのだ

友達から譲り受けた古い
棚は 引き続きテレビ台に。
新調したDVDなどを中に
しまうため, 後ろを電ノコで
一部抜きました。
濃いめのニスをぬって
きれいに
するつもり。

「ジュビリーマーケット」(吉祥寺)で
見つけた, イギリスのスクールチェア。

友達が ペイントして使っていた
ちゃぶ台。足をつけてガーデン
テーブルに。

西荻窪のお気に入りの道具屋「無相創」で買ったシェード。アイアンのさび具合いがいい感じ。

ペイントした板切れに古釘を打って、鍋つかみコレクションを飾る。

収納力抜群！空箱、びんでぎっしり…。

大好きな作りつけの棚

積み重ねていた手作りの調味料棚。ラフに白くペイントして、L字金具で壁に固定。

「無相創」で作ってもらったテーブル。板は日本舞踊のひのきの舞台だったんだって。

もらいものと女物ばっか…

洗濯機が外なのが唯一不満。

たたきに板をしくか思案中。

※テラスハウスでの暮らしは、『ひっこしました─わたしの暮らしづくり』(小社刊)にくわしく描いています。引っ越しから庭づくりまで、もりだくさん。

最後の引っ越しノート

その後 テラスハウスでの暮らしは、
結婚を機に 6年で おわりをつげました。
妊娠して 物件の 購入を 考えはじめ、
あわただしく 中古マンション探しを スタート。
なかなか これというものが 見つからず、
長期戦を 覚悟していた ある日、
夫が ぽろりと 見つけた 格安の 一軒家。
運命に みちびかれるように、トントンと 決まっていきました。
築40年と 古いけれど 頑丈な 家で、
夫婦ともに 味わいのある 風情が 気に入ったので、
中だけを リフォームすることに。
さぁ、最後に なるであろう
引っ越しノートの 出番。

ハワイで買った
コンポジションノートと
インデックスシール。

夫が店を やっていたとき、
内装を 手がけてくれた
工務店さん。
青山のクラブなども
手がけて センスよく、
物腰 やわらかで
なんでも 言えるのが
ありがたかった。

ノートを囲んで打ち合わせ

2階の小部屋の壁を
金色にしたいんですよ

突飛なことを言い出す
夫のブレーキ役

…いや、
白に
しよう？

リフォームの実例記事
たんまりのファイル

9月に 物件を 見つけ、
2月に 入居の 突貫工事。
おまけに 出産予定日は
2月末という、めちゃくちゃな スケジュール。
限られた 日程と 予算内で、なんとか 希望を つめこみました。
"普通の家" だけど、くつろげる 場所に 育っています。

ノートのメインはリフォーム。
大きく変わったLDKは、
和室をぶち抜き、
押し入れを
棚に作り変えてもらいました。

窓を広げて
手前の壁とドアもとっぱらい……
ずい分明るくなりました。

キッチンにも造りつけの棚兼作業台を。

リフォームの実例が
載った雑誌から
写真を探して、
工務店に具体的に
イメージを伝えられるように。

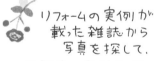

梅、バラ、アジサイ、ジャスミン……
丸裸だった小さな前庭も、
すっかりにぎやかになりました。

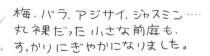

🎀 イベントノート その3
結婚式ノート

わりときっちり式を挙げたので、
もちろんノートを使い倒しました。
お金のページからはじまり、
ドレス、会場イメージ、ペーパーアイテム、
引き出物、席次、出席者名簿、
お祝いの覚え書きまで、
式にまつわるすべてがつまっています。

牧師スーツと、聖歌隊ドレス

式のくわしい模様は、拙著
『結婚できるかな?』(小社刊)で！

「ツバメノート」×
「倉敷意匠」×
mitsouさんの
コラボノート。
おめでたいデザイン。

← スピン付き

式のテーマは"赤いバラ"。
テーマがあると、ペーパー類や
　　　　引き出物も決めやすかった。

← 引き出物ページ。
お店への注文FAX。

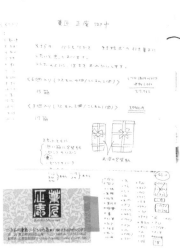

席札やのしなど
いろいろ作りました。

バラ型の最中

オリジナル夫婦手拭い

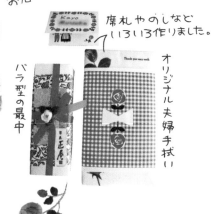

なかなか準備に手がつかず、
やる気を出すために最初にやったのが、
ドレスやブーケの切り抜きを
ノートに貼っていくこと。
ムクムクやる気がわいてきて、
これがいい助走になりました。
大きなプロジェクトに取りかかるときは、
"楽しいことから"が鉄則。

一冊買った情報誌から、
気になるものをどんどん貼る。

やはり一番の楽しみどころ、ついカが入りました……。
当初のイメージ。右は最後まで"悩んだ2着のドレスの検証。

今っぽいデザインのドレスと迷い、
結局レトロなほうに決定。

あれもこれもかってなーい

びっしり書かれた直前のスケジュールと
to doリストを見ると、
必死にかけ抜けた日々を
懐かしく思い出します。

本のしめきりと重なった→

子育てノート

妊娠日記 出産当日は分刻みで記録してあり、臨場感ある!

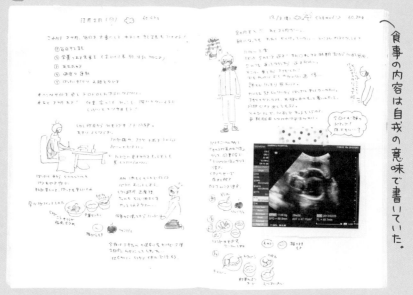

食事の内容は自戒の意味で書いていた。

妊娠がわかった その日から 書きはじめた、妊娠日記。
40を過ぎてからの 不安な妊婦の日々、
食べたものや体調、健診の
記録などを つづっていました。

2冊目の途中で出産、
お祝いのカードや
内容も記録。

育児日記も もちろん
つける気まんまんでしたが、
いざ 生まれてみると
それどころじゃない怒涛の日々。
少し落ち着いてから、妊娠日記のノートの
途中から、細々と 書きはじめました。

子育て日記 大学ノート版　　週1で書ければ いいほう。

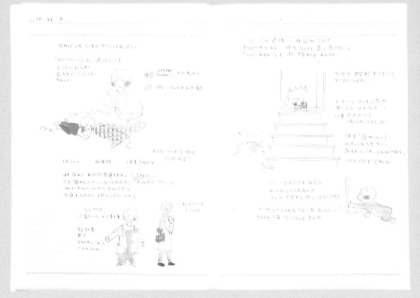

大学ノートだと つい 埋めたくなって、長くなってしまう。
そうなると なかなか 続かないもので、困っていました。

そんなときに 出あったのが、
友人がスケジュール帳として
使っていた 新潮文庫の
『マイブック』(P87)。
文庫サイズなら、一日ひとつ
絵を描けば いいもんね。

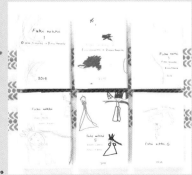

　　日付けだけが 印刷された
　　白紙の文庫本。
　　カバーに その年の娘の絵を。

子育て日記 マイブック版

さっそく 生後10ケ月になる
新年からスタート。
何日分かまとめて 書くこともあったけど、
3歳までは 一日も欠かさずに
つけることが
できました。
5歳の途中で
頓挫したけど、
もう少し
続けたかったな。

月トビラに写真を貼る。
あとがきのページもあって、
そのこその一日の
スケジュールを
書いていました
（写真は3歳）。

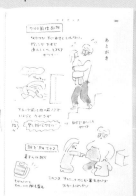

楽しい、かわいいこと
だけじゃなく、イヤイヤ期の
もめごとも満載。
文庫本を開くと
笑って泣いて 大さわぎの
ドタバタの物語が
つまっています。
6冊の日記は、きっと
ずっと 私の宝物。

＊ 3歳0ヶ月 ＊

2〜3歳は
イヤイヤ
エピソードの
宝庫…。

8歳の現在は、発言や行動を
スケジュール帳の バーチカルページに
書き留めるように しています。
　　　　　　　　おもしろいこと、
　　　　　　　　言うのよねぇ。
　　　　　　　　まだしばらくは、
　　　　　　　　続けていきたい。

育フンの中で—

天ぷらそばを食べた
夜のつぶやき。

子育て関連でもういっちょ
保活ノート

火散烈を極める、東京の保育所
入園バトル。11もの保育所を
見学して、特徴や感想を
書きこんで…ノートづくりの
おかげで、ユウウツな保活も
なんだか楽しくなってきたのでした
（おかげで？第一希望に入れた）。

イベントノート その5
ダイエット ノート

人生で何度もダイエットをしてきたけど、
一番真面目に取り組んだのは
娘の卒園＆小学校入学の年で、
写真を撮る機会が多かったタイミング。

首、肩、背中ががっちり。お腹もぽっこり…

気がついてはいたけど、せっかくの
晴れの日にドーンとたくましい己の姿。
なにを着てもしっくりこず、おしゃれも
楽しくなくなっていたんだ…。

自分が写ってる写真、アルバムに
貼りたくなーい。

「これでは いかん！」
週に一日、胃を休めるダイエットに
丸2ヶ月間 取り組みました。

食事を抜くのは 絶対無理、と
思っていたけど、ノートが助けてくれました。
毎朝 測った体重を 書きこんで、
グラフにすることにしたのです。
これなら、一目瞭然。

実際はパンツで測る。

いつでもサッと書ける、見られるように、
スケジュール帳を使いました。
変化がパッとわかるよう、見開きで1ヶ月。
青い縦線は1週間

今もやってること

・朝イチで体重を測る。

・水をたくさん飲む。
私はただの水だと量を
飲めないので、少し
スポーツドリンクを混ぜる。

余っていた『マイブック』(P137)
には食べたものを記録。

◆ 開始～1ヶ月のグラフ ◆

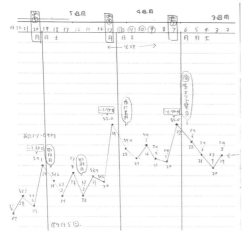
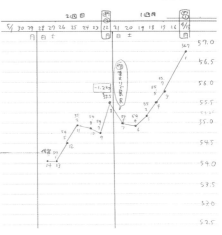

思うように 体重が 減らないときは
理由を考えて 書きこみ, 次につなげる。
がんばれば きちんと 結果が 目に見えるので,
楽しく 続けることができました。

10代のころから ずっと ベストは 52kg。
このとき 50.5kg まで やせたら,
ほおがこけて まわりに 心配されました。

20年前のお気に入りが はけるようになった!

ベストから ちょっと 戻りつつある今,
また 折れ線グラフと,
レコーディング ダイエット※ を
はじめたところ。
適度な 運動と 食べすぎ防止で,
自分が 心地よい 身体で
いたいものです。

更年期世代なので, 自律神経を整える ヨガと
ウォーキングが 平日朝の 日課。

※食べたものを ひたすら 記録する ダイエット法。

母の育児日記

26の父と23の母。若い二人のケンカの記述も多い。「お互いに
口数は少ないが、手や足を駆使したボクシング並みのケンカ」って…。

生後なかなか名前が決まらない様子。候補にあがる千秋に彩野、今と
ちがう名前の自分を想像したりして、楽しいな。男の子だったら海くんだったよう。

姉同様に母も、出産後に日記をつけていました。一番上の姉の時は3冊。真ん中の兄
は2冊。そして三番目の私は1冊の1/5。…アルバムの数といい、末っ子なんて、
こんなもん。まぁこの程よい無頓着さが、後々にはありがたくなりましたが。少ない
ページながらも、「ああ、私が生まれた日は雨が降っていたのか（しかも土砂降り）」
とか、姉兄が私をかわいがっている様子とか、読んでみるとやはり感慨深く、産んで
くれたことへの感謝の念を強く感じずにはいられません。最後のページには、「や
さしい人間になりたい」という29歳の母の反省日記が書かれていたりして、今の私
とかわらないなぁ、と笑ってしまった。記録を残すって、やっぱりいいものです。

わたしのノート棚

今の家への引っ越しを機に購入した、アトリエの棚。
大量のノートやアルバムを収納できる、大容量の頼れる存在。
しかしこの棚には、今でもゾッとする思い出が——。

お手頃なユニット家具。
インテリア雑誌で見た、
小物を置ける吊り棚の
配置が気に入り、
まねすることに。

組み立てる自信は
ないので、リフォームの際に
併せて大工さんに
お願いしました。
しっかり固定してもらい、
安心、安全。

かごやグリーン、お気に入りの雑貨を
並べたいなぁ、と思って……。

さて、新居での引っ越し作業。
1階のアトリエの棚にノートをつめ終え、
「やれやれ…」と2階の片付けをはじめたその時。

「ドーン!!」

階下から ものすごい音が聞こえてきました。

「なに、なに!!?」
臨月の大きなお腹を抱え、階下におりていくと ──

散乱するノート、大破した棚、
そしてそのすぐ横で、呆然と座る夫。

ノート殺傷未遂事件

〈当時の日記より〉

え、っ
こわれちりは…

私のっ

30cm
くらい…

棚の耐荷重を確認していなかったため、
大幅な過積載で崩落。
床にPCを2台置き、接続作業をしていた
夫から、ほんの30cmほどの場所でした。
棚が当たったらしいカーテンレールは曲がり、
ピカピカの床には穴があいていました。
私のPCはこわれ、棚も買い直したけど、
この程度ですんで本当によかった……。

恐ろしくなって、そのまま大半のノートを処分。
後悔するかな、と思ったけど、
むしろさっぱりしたくらい。
これからは棚が崩落しない程度の
ノート人生を歩もう、と誓ったのでした。

交換絵日記(P9)は数冊だけ残して。

「大中」の布貼りノート

中、高、大の日記も捨てた。読み返しても己の未熟さに悶絶するだけだし……。

いや、設置のしかたが無謀だっただけ…夫

現在の棚

レイアウトを変え、しっかり固定してもらった棚は、
デスクを背に どんと鎮座し、
ノートやアルバム、原画、画材がパンパンに つまっています。

買い直しを機に
引き出しは一列に
へらしました。
扉が1枚こわれて、
買い直さなきゃ…と
思いつつ ずっと布を
かけている。
棚上のかごにも
こまごま収納。

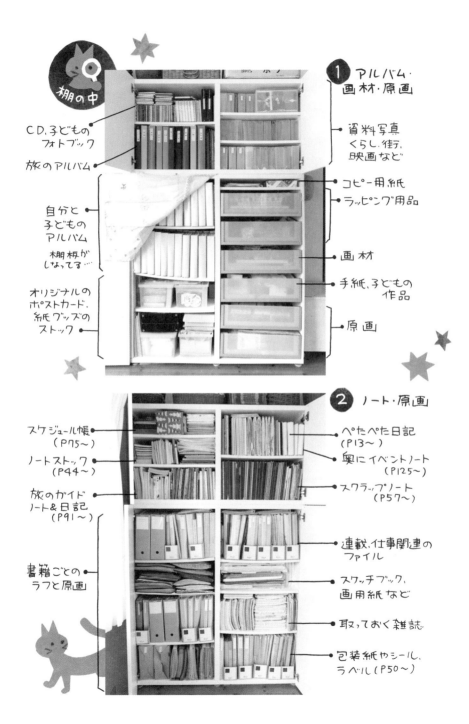

棚の中

① アルバム・画材・原画

CD、子どもの
フォトブック

旅のアルバム

資料写真
くらし、街、
映画など

自分と
子どもの
アルバム

棚板が
しなってる…

コピー用紙
ラッピング用品

画材

手紙、子どもの
作品

オリジナルの
ポストカード、
紙グッズの
ストック

原画

② ノート・原画

スケジュール帳
（P75〜）

ノートストック
（P44〜）

旅のガイド
ノート&日記
（P91〜）

書籍ごとの
ラフと原画

ぺたぺた日記
（P13〜）

奥にイベントノート
（P125〜）

スクラップノート
（P57〜）

連載、仕事関連の
ファイル

スケッチブック、
画用紙など

取っておく雑誌

包装紙やシール、
ラベル（P50〜）

おわりに

くるくるヘアの女の子・もくじは2005年版。こちらは2021年版。

自分なりの ノート作りの 楽しみを つづった,
『スクラップ帖のつくりかた』を 出版したのは
2005年のこと。
その後 ますます 世のデジタル化は 進み,
私も パソコンや スマートフォンには
お世話に なりっぱなしの 日々。
それでも やっぱり, やっぱり……
紙が 好き。

素敵な 言葉に 出あったら 手帳に 書きとめたくなるし,
かわいい 紙の 収穫物が たまったら
ぺたぺた日記の 出番。
しんどい 日々には 思いのたけを ぶつけ,
悩み迷う ときは 心の内を 書き出して。
本を 出したあとの 16年間,
相も変わらず ノートに 向かう 日々でした。

曲がり角に くると, ノートが 登場してきた 私の人生。
引っ越し。失恋。婚活。妊娠。子育て。
暮らしが 変わる たびに,
私の ノートは ふえて ゆきました。
「仕事の ネタに なるかも……」という 下心は ありつつも,
それは もう, 書かずには いられないから。

ノートに向かって 自分がやりたいことを考え、
言葉や絵を つむぎ出す。
手を動かすことで、ようやく 頭の中にあるものが
クリアになるのです。

今回『スクラップ帖のつくりかた』の改訂版を
出すにあたり、変わらない部分はそのままに、
実際の日記のページをふやしたり、
仕事への活用術、
その後に経験した 結婚や子育ての記録と、
もりだくさんに バージョンアップ。
昔の自分の絵と 今の絵を、ここまでたっぷり
融合させたことは ほぼなくて、
懐かしい友人と おしゃべりしているような
気分で作りました。
読んでくださったあなたの "たのしみノード"作りに、
少しでもお役に立てたら うれしいです。

病める日も 健やかな日も
これからも ずっとずっと、
私のかたわらには
なにがしかのノートが
あることでしょう。

SHOPPING GUIDE

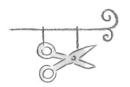

ノートや文房具、紙などを買うのは
こんなお店。

画材店

書きやすいペンや、クラシックな
表紙のスケッチブック、etc……。

「ステッドラー」のホルダー型消しゴム

とっておきの時のノートに

100円ショップ

キッチュな文房具や
柄色紙など、
まめにチェック。

バゲットの写真のふせんメモ

ビビッドなマステ

キラキラにアンティーク風。
シールは
種類豊富。

文房具専門店

外国のおしゃれなペンやノート。
国産のレトロ文房具の宝庫。

外国の
フルーツ袋、
集めてます。

子どものころ持ってたな。
替え芯 色鉛筆。

和文具店

きれいなポチ袋や和紙の
文房具、いつもつい買いこんでしまう。

色けい線のかわいい便せん

模様入りの
巻き紙。
旅日記に
したら楽しい!

布張リノート

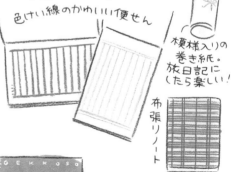

「月光荘」スケッチブックなど、
オンラインストアで買うものも。

2Fサイズは3冊までならネコポス可

150

杉浦さやか

すぎうら・さやか

イラストレーター。日本大学芸術学部在学中からイラストの仕事を始め、
人気を集める。独特のタッチのイラストはもちろん、
ほのぼのとしたエッセイが読者の熱い支持を得ている。
小学生の頃からノート作りにはまりその数は 100 冊を超える。
本書はそのノウハウを詳しく紹介している。
著書に『ひっこしました』『ニュー東京ホリデイ』
『世界を食べよう！ 旅ごはん』（すべて祥伝社）など多数。

たのしみノートのつくりかた

2021 年 12 月 10 日　初版第 1 刷発行

著者　杉浦さやか

© Sayaka Sugiura 2021

発行者　辻　浩明
発行所　祥伝社
〒101 - 8701 東京都千代田区神田神保町 3 - 3
03（3265）2081（販売部）
03（3265）1084（編集部）
03（3265）3622（業務部）
祥伝社のホームページ　www.shodensha.co.jp

装幀　こやまたかこ
撮影　渋谷健太郎・金子睦

印刷所　萩原印刷
製本所　ナショナル製本

ISBN 978 - 4 -396 - 61774 - 5 C0095　Printed in Japan

ニュー東京ホリデイ
旅するように街をあるこう

おいしい、かわいい、
ちょっとレトロな、とっておきスポット、
9エリアから158ヶ所を紹介!

単行本

世界をたべよう!
旅ごはん

もう一度たべたい! 行きたい!
世界25ヶ国、国内24軒をイラスト&
エッセイで。妄想旅行のおともにも!

文庫版

すくすくスケッチ

生意気だけど
かわいくて。
著者初めての
子育てエッセイ

単行本

結婚できるかな?
婚活滝修行

37歳。独身
イラストレーターの
婚活から結婚まで

文庫版

ひっこしました
わたしの暮らしづくり

部屋探し、収納術…
暮らしづくりの
ヒントが満載!

文庫版

わたしのすきなもの

さあ、今日は
何をしようかな?
50コの「わたしの
すきなもの」

文庫版

祥伝社